相信閱讀

Believing in Reading

虎媽的戰歌

Battle
Hymn
of the Tiger
Mother

蔡美兒（Amy Chua） 著

錢基蓮 譯

獻給
蘇菲亞和露薏莎
以及美文

目錄 · 第一部

Battle
Hymn
of the Tige
Mother

第二部

第三部

這個故事和一個媽媽、兩個女兒、兩隻狗有關。這個故事也和莫札特、孟德爾頌、鋼琴和小提琴，以及我們如何達成在卡內基音樂廳登臺的目標有關。

這個故事原本要說的是中國父母教養小孩比西方父母高明之處。

然而後來說的卻是激烈的文化衝突、一閃而逝的光榮滋味，以及一個十三歲孩子是如何挫掉我的銳氣的。

第一部

老虎，是力量與權力的象徵，
令人又畏又敬。

Battle Hymn of the Tiger Mother

虎 媽 的 戰 歌

♥我們全家，1996年

1. 中國媽媽

很多人在心理琢磨，中國的家長是怎麼把子女教養得那麼成功的；他們很好奇，這些家長是做了哪些事情，才會創造出這麼多的數學奇才和音樂神童。還有，這些中國家庭到底有什麼規矩，他們是不是也可以如法炮製。唔，這我倒是可以告訴他們，因為我是過來人。以下是一些我絕對不准兩個女兒蘇菲亞和露薏莎做的事情：

♥ 去別人家過夜
♥ 參加朋友聚會

- ♥ 參加學校話劇演出
- ♥ 抱怨不能參加學校話劇演出
- ♥ 看電視或玩電腦遊戲
- ♥ 自己選擇課外活動
- ♥ 任何一科成績低於A
- ♥ 沒有每一科都拿第一，除了體育和戲劇以外
- ♥ 彈奏鋼琴或小提琴以外的樂器
- ♥ 不彈鋼琴或不拉小提琴

　　我說的「中國媽媽」是泛稱。我最近認識一位超有成就的白人男性（你絕對在電視上見過他），他是南達科他州人。我們交換彼此的經驗之後，我判斷他那位當工人的爸爸絕對稱得上是中國媽媽。而我認識的一些韓國、印度、牙買加、愛爾蘭、迦納家長，也都符合中國媽媽的特點。反之，我認識一些幾乎全是在西方國家生長的華裔媽媽，她們卻**不是**中國媽媽，姑且不論這是不是出於她們自己的選擇。

　　我說的「西方家長」也是泛稱。西方家長有千百種，而且我還敢大膽地說，西方人的教養方式遠比中國人多樣化：有的嚴格有的寬鬆，有的是單親、有的兩位家長可能性別相同，有

信仰猶太正教的、也有以前是嬉皮的⋯⋯。「西方」家長的看法未必一致，因此我在說「西方父母」一詞時，當然不是包羅所有的西方父母，就像「中國媽媽」指的也不是所有的中國媽媽。

同樣的，即便是自認為教養嚴格的西方父母，他們和中國媽媽比起來通常還差之遠矣。舉例來說，我那些自認為嚴格的西方朋友，要子女每天練習樂器三十分鐘，頂多一小時，就已經很不得了。但是對中國媽媽來說，要孩子練琴一小時根本就不算什麼，要他們繼續練一或兩個小時才稱得上難。

雖然我們對文化類型有一些刻板的印象，但是多如牛毛的研究顯示，中國人和西方人在教養子女方面有顯著的差異，而且這些差異是可以量化的。一項對五十位美國媽媽以及四十八位中國移民媽媽做的研究顯示，將近七成的西方媽媽說「著重學術成就對兒童不好」，或「家長必須灌輸一個觀念，就是學習是有趣的」。反之，有這種想法的中國媽媽約是百分之零。大部分中國媽媽說，她們認為自己的子女可以成為「頂尖」的學生、「學術成就反映出教養的成功」，而子女在課業上若沒有卓越的表現，就表示有「問題」，同時是家長「沒有克盡責任」。還有研究指出，中國家長每天花在陪子女做功課的時

間，大約是西方家長的十倍。比較起來，西方小朋友花在球隊的時間還多些。

這就來到我要說的最後一點。有人可能認為重視運動的美國父母足以比擬中國媽媽，可是這個想法大錯特錯。中國媽媽與行程滿檔的西方足球媽媽絕不可相提並論，因為她們認為（一）學校功課永遠最重要；（二）A⁻就是壞成績；（三）孩子的數學程度必須超前同學兩年；（四）絕對不能在公開場合讚美自己的孩子；（五）孩子不認同老師或教練的看法時，永遠要站在老師或教練那邊；（六）孩子獲准參加的活動，只限於那些最後可以捧回獎牌的；（七）而且捧回家的非是金牌不可。

♥蘇菲亞

2. 蘇菲亞

　　蘇菲亞（Sophia）是我的大女兒。我的老公傑德是猶太人，我是華人，所以我們的孩子就成了華裔加猶太裔的美國人。這個族群聽起來或許稀奇，其實在某些圈子裡卻是多數族群，尤其是大學城。

　　Sophia這個名字在英文的意思是「智慧」，我母親幫她取的中文名字思慧也是這個意思。蘇菲亞打從出生那一刻，就展現出理性和專注的過人能力，而這些特質全得自她爸爸遺傳。蘇菲亞還是小嬰兒的時候就可以一覺睡到天亮，而且只在有需求時才會哭。生她的時候，我正在卯盡全力寫一篇法律方面的

文章（我原本是在華爾街一家律師事務所上班，那時利用休假拚命想謀得一份教職，這樣就不必回華爾街上班了），而才兩個月大的蘇菲亞非常善體人意，基本上成天只是喝奶睡覺，其他時候則安安靜靜的看著處於撞牆期的我，直到她一歲為止。

蘇菲亞的智能早熟，才十八個月大就會認英文字母，可是我們的兒科醫師從神經學的角度認為絕無可能，堅稱她只是在模仿聲音而已。為了證明起見，他拿出一張令人眼花繚亂的大圖，上面的英文字母全都偽裝成蛇或獨角獸等等。醫師看看這張表，再看看蘇菲亞，接著又轉頭去看這張表，然後狡猾的指向一隻穿著睡衣、戴著帽子的癩蛤蟆。

「Q。」蘇菲亞尖著嗓子說。

醫師咕噥了一聲，對我說：「別教她。」

當他指到最後一個字母時，我鬆了一口氣。那是一條九頭蛇，吐出多條紅信四處拍打，但是蘇菲亞正確的認出這個字母是「I」。

蘇菲亞在托兒所的表現十分出色，尤其是算術。別的小朋友都在學習用美國人那種發揮創意的方式（用棒子、豆子、松果）從一數到十，我則是用中國人死背的方式，教會蘇菲亞加減乘除、分數、小數。對我來說，用那些棒子、豆子、松果來

演練反而是件難事。

　　我和傑德在結婚之初便約法三章，以後我們的孩子要說普通話，但是用猶太教的方式教養。（我在成長過程中接受的是天主教的教育方式，可是要放棄也很容易，因為天主教在我家並非根深柢固的信仰，而是到後來信仰才比較堅定。）現在回想起來，這個約定著實可笑，因為我自己就不會說普通語（我的母語是福建話），而傑德也全無宗教信仰，然而我們就這麼安排了。我用了一個中國保母，讓她常常跟蘇菲亞說普通話，而蘇菲亞兩個月大時，我們過了第一個猶太光明節。

　　蘇菲亞大一點之後，好像得到這兩種文化的精髓。她從猶太人的方式學會探索發問，而我的中國人方式則讓她學到本事，很多的本事。我指的不是那些天生就會的技能，而是用勤勉、紀律、擴展自信的中國方式習得的本事。蘇菲亞三歲時，已經在看沙特的作品、做簡單的集合論、可以寫一百個中文字（以上是傑德的解讀，因為蘇菲亞認得沙特的劇本No Exit這兩個字，會畫兩個重疊的圓圈。也許認識中國字的本事還算不錯啦。）我看到美國父母因為子女會做一些最起碼的事，像是胡亂塗鴉或是揮舞棍子，便樂得大肆宣揚，於是明白中國父母有兩件事是優於美國父母的：（一）對子女懷有很高的期望；

（二）知道子女可以達到什麼程度，因而非常重視他們的學習。

當然，我也希望蘇菲亞能夠受益於美國社會最好的一面。我可不希望她以後變成那種奇怪的讀書機器，因為父母給的壓力太大，所以會因為在全美公務員考試名列第二而自殺。我希望她有多方面的興趣，有自己的愛好與活動，不過我說的絕非隨隨便便的活動（例如「手工藝」，因為學不出什麼名堂來），或者更糟的是打鼓打到後來淪落到吸毒，而是有意義、難度高，可以增加深度與培養精湛技巧的活動。

這就是鋼琴發揮作用的時候。

一九九六年，蘇菲亞三歲時，有了兩樣新東西：上了第一堂鋼琴課，以及一個小妹妹。

♥露薏莎

3. 露薏莎

　　有一首鄉村歌曲裡有這麼一句：「她是擁有一張天使臉孔的野丫頭。」這正是我小女兒露露的寫照。我只要一想到她，腦袋裡出現的畫面就是我在努力馴服一匹野馬。即使還在我肚子裡時，她就經常兩腿狂踢，在我肚皮上留下清晰可見的印記。露露的全名是露薏莎（Louisa），意思是「聞名天下的武士」。真不知道我們怎麼會一開始就這麼叫她。

　　露露的中文名字是思珊。珊，是指「珊瑚」，表示清秀端麗，這個名字也很適合她。露露打從出生的那一天起嘴巴就很刁，不愛喝嬰兒配方奶粉。兒科醫師建議用豆奶代替，不料她

大發雷霆，不惜絕食抗議。露露和甘地不同，甘地絕食並不是為自己，而且是採取靜坐方式自己挨餓，然而露露有疝氣，還每天晚上呼天喊地、張牙舞爪好幾個小時。我和傑德戴上耳塞心急如焚，幸而後來有中國保母葛瑞絲前來解危，用鮑魚香菇醬燉嫩豆腐，再加上一點香菜，非常對露露的胃口。

我與露露的關係很難描述，用「全面核武戰爭」還不足以形容。諷刺的是露露非常像我，因為她遺傳了我的壞脾氣、毒舌，還有不記仇的個性。

說到個性，我並不相信星座學（而且覺得信這一套的人大有問題），可是中國人由十二生肖看個性的說法用在蘇菲亞和露露身上卻**非常吻合**。蘇菲亞是猴年生的，據說屬猴的人有好奇心、聰慧，而且「一般而言會完成交付給他們的任何工作。他們喜歡困難或有挑戰性的工作，因為會激發他們的潛能。」反之，豬年出生的人「任性」、「固執」，常常「暴跳如雷」，但是「絕不會心懷怨恨」，基本上是誠實又熱心的人。露露正是如此。

我是虎年生的。我無意自吹自擂，不過屬虎的人「人格高尚、無所懼、個性強、有權威、有魅力」，而且常受幸運之神眷顧。貝多芬和孫中山都是屬虎的。

露露三歲時，我第一次跟她翻臉。當時我們住在康乃狄克州的紐哈芬，正值天寒地凍的季節。那個下午冷得不得了，在耶魯大學法學院當教授的傑德還沒下班，而蘇菲亞人在幼稚園，我覺得讓露露開始接觸鋼琴的時候到了。露露有一頭棕色捲髮、圓圓的眼睛和中國娃娃的臉蛋，看起來著實可愛。我把她放在鋼琴椅上，下面墊了幾個舒服的墊子，接著便示範如何用單指彈琴，每個鍵用力平均的彈三次，然後要她照做。這個要求十分簡單，可是露露不聽我的，她十指張開，同時猛擊好幾個鍵。我要她停下來，她反而更用力、更快的重擊琴鍵，於是我把她抱開，誰知道她卻鬼吼鬼叫了起來，邊哭邊氣沖沖的兩腳狂踢。

十五分鐘後，她還在鬼哭神嚎、拳打腳踢，我忍無可忍，於是避開她的拳腳，把這個尖叫不休的小惡魔拖到後面走廊門口，然後把門開得大大的。

外面寒氣逼人，只有攝氏零下六、七度。才短短幾秒鐘，我的臉便冷得發疼。可是我下定決心，就算把命豁出去，也要教養出聽話的中國小孩（在西方國家，聽話這個字眼通常會讓人聯想到狗和種姓制度，然而在中國人的觀念裡，這可是美德）。「你要是不聽媽咪的話，就不讓你待在屋子裡。」我厲

聲說：「好了，你要不要做乖寶寶？還是你要去外面？」

露露走到屋外，一臉不服氣的看著我。

一股隱隱的恐懼開始穿透我的身體。露露只穿了一件毛衣、一件百褶裙和緊身褲。她已經不哭了，站在那裡一動也不動，真是怪可怕的。

「好吧，你決定要乖了，」我很快的說：「現在可以進來了。」

露露搖搖頭。

「別傻了，露露。」我開始恐慌。「外面很冷，你會生病的。現在就給我進來！」

露露的牙齒在打顫，可是她再度搖搖頭。當下我便了然於胸。我低估了露露，沒有摸清楚她的性子。她寧可被凍死，也不肯低頭。

我不得不立即更改戰術；這一仗輸定了，何況我還有被兒福機構關起來的可能。我風馳電掣地改變路線，開始說好話、苦苦哀求、甚至不惜賄賂，要露露回到屋裡來。等到傑德和蘇菲亞回家時，只見露露心滿意足的泡著熱水澡，拿布朗尼蛋糕沾一杯冒著騰騰熱氣的熱巧克力吃。

不過露露也低估了我。我只是在重新整裝罷了。戰線已經拉開，只是她還搞不清楚。

4. 蔡家

　　我姓蔡，我很喜歡這個姓。我們祖先來自福建省，這個人文薈萃的地方出了許多學者與科學家。我的直系祖先蔡武能是明朝神宗皇帝的天文曆法官，也是哲學家和詩人。武能顯然能文能武，所以一六四四年中國面臨滿族入侵危機時，被皇帝任命為最高武官。我家最重視的傳家之寶（也是唯一的傳家之寶），就是武能親筆撰寫的一本兩千頁的論述，詮釋《易經》這部中國最古老的經典之一。我們家有一本皮革精裝本，封面上寫了個「蔡」字，就擱在客廳茶几上，十分醒目。

　　我的爺爺奶奶、外公外婆全都在福建出生，但是先後在一九二○和一九三○年代坐船前往菲律賓，因為聽說那裡有比較多的發展機會。我的外公是個仁慈溫厚的教師，後來為了養家而改行賣米，他沒有宗教信仰，對做生意也不太在行。他的妻子（也就是我的外婆）長得極美，是個虔誠的佛教徒。她總是希望自己的丈夫事業發達一點，儘管這種想法有違觀世音菩

薩戒除貪念的教誨。

我爺爺是個和藹可親的魚漿商人，他同樣沒有宗教信仰，也不太會做生意。他的妻子，也就是我那位精明能幹的奶奶，在二次世界大戰後做塑膠生意發了大財，就去買了金條和鑽石。等到更有錢之後（因為她拿到嬌生藥廠的容器訂單），舉家搬到馬尼拉一個最高級社區裡的一座大莊園去住，奶奶和我的叔叔們開始買蒂芬妮（Tiffany）的玻璃杯、瑪麗‧卡塞特（Mary Cassatts）及喬治‧布拉克（G. Braque）的畫作，甚至還到夏威夷置產。他們改信了新教，丟掉筷子改用刀叉，希望更像美國人一點。

我的母親一九三六年在中國大陸出生，兩歲時隨著家人到菲律賓。在日軍占據菲律賓期間，她失去了尚在襁褓中的弟弟。我永遠忘不了她描述日兵如何強把她叔叔的嘴巴掰開，把水灌進他喉嚨，然後看著他像充氣過頭的氣球那樣幾乎要爆開來，一面狂笑。我母親記得麥克阿瑟將軍一九四五年解放菲律賓時，她跟在美軍的吉普車後面拔腿奔跑，盡情歡呼，而那些美軍紛紛從車上拋出肉罐頭給他們。戰後，母親就讀一所多明尼加高中，並且改信天主教。她後來以全班第一名的優異成績從聖湯瑪斯大學畢業，拿到化工學位。

想移民到美國的人是我父親。他很有數學天分,熱愛天文學和哲學,而家族從事的塑膠事業,在他眼裡是個充斥著巧取豪奪與暗箭傷人的世界,令他非常厭惡,所以拒絕長輩為他安排的所有出路。他從小就渴望去美國,當麻省理工學院接受他的入學申請時,他終於可以一圓此夢。一九六〇年他向我母親求婚,兩人不久後抵達波士頓,在這個人生地不熟的國家全靠獎學金辛苦過日子,頭兩年的冬天連暖氣費都付不出,只好裹幾條毛毯保暖。父親不到兩年便拿到博士學位,成為印第安納州西拉法葉市普渡大學的助理教授。

我和三個妹妹是在美國中西部長大的,我們在成長的過程中一向都知道自己和別人不一樣。我們帶著裝在保溫盒裡的中式食物到學校,心裡覺得丟臉極了,多希望自己可以像別人一樣帶三明治!父母規定在家要講中國話,只要不小心冒出一個英文字,就會被父母用筷子打一下。我們每天下午都要做數學習題和彈鋼琴,絕對不准去朋友家過夜。每天晚上爸爸下班回到家,我必須幫他脫鞋脫襪,拿拖鞋給他。成績單必須每一科都是優等;我們的朋友拿B會得到獎勵,但是我們連拿A⁻都不行。我八年級時,有一次在歷史競賽得了第二名,邀家人去參加頒獎典禮。典禮上有個同學以最佳成績榮獲同濟會的獎項,

後來爸爸對我說：「以後絕對不可以再讓我這麼丟臉。」

我的朋友聽到這些事情時，多半以為我的童年過得很可憐，其實絕非如此，因為我在這個奇怪的家庭裡找到了力量和自信。我們全家剛開始是外來者沒錯，但是我們一起認識美國，然後成為美國人。我記得爸爸每天都工作到半夜三點，而且非常專心，有人走進他房間他都渾然不覺。然而，我也記得爸爸會興致勃勃的帶我們去吃墨西哥捲餅、牛肉漢堡、冰淇淋和自助餐，更不用說帶我們去坐雪橇、滑雪、捉螃蟹和露營。我記得小學時，有一次一個男生把眼角往上斜拉假裝是我，一面學我發restaurant的發音（rest-OW-rant）一面猛笑，當下我就發誓一定要改掉我的中國腔英語。可是我也記得更多開心的事：參加女童軍、玩呼拉圈、溜直排輪、去公共圖書館、參加美國革命女兒會（Daughters of the American Revolution）論文比賽奪得名次，以及，爸爸媽媽歸化為美國公民那個令人驕傲的重大日子。

一九七一年，爸爸接受了柏克萊加州大學的聘書，全家人打包搬到美國西部，他後來還把頭髮留長，穿上印有和平標識的夾克。之後他開始對收藏紅酒感興趣，還蓋了個可以貯藏一千瓶酒的酒窖。等他以混沌理論馳名國際之後，我們就開始

周遊列國。我高一是在倫敦、慕尼黑、洛桑這三個地方讀的，爸爸還曾帶我們去過北極圈。

可是爸爸也是典型的中國家長。到了我該申請大學時，他宣布我得住在家裡，去念柏克萊大學（我已獲得入學許可），事情就這麼定案了——我完全沒有參觀校園的必要，也用不著痛苦的做抉擇。可是我沒有聽他的話，就像他當年不聽長輩的話一樣。我偽造他的簽名，偷偷去申請大家都在談論的東岸一所大學。當我坦白告訴他我做了這件事，而且哈佛大學已核准我的入學申請時，爸爸的反應出乎我的意料，因為他幾乎可說是當場轉嗔為傲。後來我從哈佛法學院畢業，以及我妹妹美夏從耶魯大學和耶魯法學院畢業，都讓他引以為傲。不過他最得意的（或許還有一點點難過）應該是老三美文離家去念哈佛吧，她後來在哈佛也拿到碩士與博士學位。

美國會使人改變。我四歲的時候，爸爸對我說：「除非我死，否則你別想嫁給老外。」可是我最後卻嫁給了傑德，而且他和老爸還成了莫逆之交。我小的時候，爸媽從來不曾同情失能的人，因為在亞洲大部分地區，失能被認為是見不得人的事，所以當媽媽生下最小的妹妹美音，發現她是唐氏兒時，成天抹淚。有親戚鼓勵我們把美音送到菲律賓的療養院去，可是

媽媽經人安排，與一些特教老師以及失能兒童的家長有了接觸後不久，她就花很多時間耐著性子陪美音玩拼圖，教她畫圖。美音上小學時，媽媽開始教她讀書和背九九乘法表。後來美音得到國際殘障奧運游泳項目兩面金牌。

我有一點點後悔自己沒有嫁給中國人，擔心辜負了中國四千年的文化。然而絕大部分時候我都萬分感激美國給予我的自由和發揮創造力的機會。兩個女兒在美國並不覺得是外人，但我有時候還是有這種感覺。不過對我而言，這種感覺與其說是負擔，不如說是殊榮。

♥出生不久的我與我勇敢的父母，
攝於他們抵達美國後兩年

5. 一代不如一代

　　我最害怕的事之一就是家道中落。中國有句老話說：「富不過三代。」我敢說會實證技巧的人只要對跨世代的表現做追蹤調查，就會發現過去五十年來有幸以研究生或是技術人員的身分來到美國的中國移民，有一種非常普遍的模式，而這個模式大致上是這樣：

♥移民的一代（像我的父母）是工作最勤奮的一代。很多人幾乎可說是白手起家，他們馬不停蹄的工作，直到成為成就斐然的工程師、科學家、醫師、學者，或商人。像他們這樣的

父母會非常嚴格，而且非常節儉。（「不要丟掉剩菜！你為什麼要用這麼多水洗碗？你不需要上美容院剪頭髮，我幫你剪更好看。」）他們會投資不動產，不太喝酒，做的每一件事和賺來的每一分錢都會用在子女的教育和未來上面。

♥第二代移民（我這一代），也就是在美國出生的第一代，一般來說都會大有成就。他們通常會彈鋼琴和（或是）拉小提琴，上長春藤聯盟或排名全美前十名的大學，日後往往成為專業人員，不是律師、醫師，就是金融家、電視主播。他們的收入超越父母，不過部分原因在於他們一開始收入就比父母當年多，而且父母也大手筆的投資在他們身上。他們沒有像父母那麼節儉，喜歡喝雞尾酒，女性多半還會嫁給白人。不論男女，他們對子女都不像父母對他們那麼嚴格。

♥第三代移民（蘇菲亞和露露這一代），是我每天晚上替他們擔心得睡不著覺的世代。拜父母和爺爺奶奶辛勤工作所賜，他們這一代出生在非常舒適的中上階層，從小就有很多的精裝書（看在移民世代家長的眼中，簡直是奢侈到太不應該的地步）。他們會有一些家境富裕的朋友，那些人即便成績是

B$^+$，父母照樣會給獎金。他們可能會、也可能不會讀私立學校，但是不論念什麼學校，他們都想穿昂貴的名牌服飾。最後、最麻煩的是，他們會覺得自己擁有美國憲法保障的個人權利，於是很多人可能開始不聽父母的話，對父母給的生涯建議也充耳不聞。簡而言之，所有這些因素都顯示，這個世代是直接邁向衰微。

哼，有我把關，這種事情別想發生。從蘇菲亞出生的那一刻起，我看著她可愛又懂事的臉蛋，就下定決心絕不讓這樣的事情發生在她身上，我絕不會養出一個吃不了苦和享有特權的孩子，換言之，我絕不讓蔡家衰微。

這是我堅持蘇菲亞和露露學古典音樂的原因之一。我知道我沒辦法讓她們認為自己是家境貧寒的移民小孩，因為我們住在一棟滿大的舊房子裡，有兩輛很好的車，去度假時住的旅館也不錯，這些都是不爭的事實。可是我可以使蘇菲亞和露露比我和我的父母更有素養。古典音樂和衰微相反，和懶惰、俗氣、被溺愛相反，這個方法除了可讓孩子達成我沒有做到的事，也與老祖宗們高度的文化傳統一致。

我的反衰微活動還包括其他內容。我和爸媽一樣，要蘇

菲亞與露露說一口流利的中國話,同時各科成績全都要拿A。「答案永遠要檢查三次,」我告訴她們:「每一個不認識的單字都要查,把解釋一字不漏的背起來。」為免蘇菲亞和露露被慣壞了,懶散、頹廢得像羅馬人在帝國倒塌後那樣,我也堅持她們要四體勤勞。

我不只一次告訴兩個女兒:「我十四歲時就自己用鎬跟鏟子幫我爸爸挖游泳池。」這可不是我掰的。爸爸存了四年的錢買了一棟小木屋(在塔荷湖附近)。游泳池雖只有九十公分深,直徑三公尺,不過我的的確確在小屋後面挖出這個洞。我也老愛告訴她們:「每個星期六早上,我和妹妹都要用吸塵器把家裡吸乾淨,一人吸一半。我還要洗廁所、除院子裡的野草,還有砍木柴。有一次我幫爸爸蓋石頭花園,搬了不少大石頭,每塊都有二十五公斤重呢,所以現在我才會這麼耐操。」

因為我要兩個女兒盡量多練琴,所以沒有要她們砍木柴或是挖游泳池,可是我還是盡量要她們搬一些重物,像是把堆得滿滿的洗衣籃在樓梯搬上搬下、星期天把垃圾桶拖到屋外、外出旅行時搬行李箱。有意思的是,傑德的本能正好和我相反,他捨不得讓女兒搬重物,總是擔心她們傷到背。

在告訴兩個女兒這些經驗的同時,我時常想到爸媽以前的

耳提面命。「要謙虛內斂、要樸素，」媽媽以前常這麼叮嚀：「好酒沉甕底。」她真正的意思當然是：「一定要拿第一，這樣才有可以謙虛的本錢。」老爸的最低原則是：「絕對不要抱怨、找藉口。學校就算有什麼事看起來不公平，只要加倍努力，表現再好一倍，證明自己的實力就好。」我也把這些原則傳授給蘇菲亞和露露。

最後，像我的父母一樣，我還試圖從蘇菲亞和露露那裡得到更多的尊重。但這卻是我最失敗之處。在我成長的過程中，我一直很害怕爸媽不贊同我，然而蘇菲亞卻沒有這種想法，更別說露露。美國似乎對兒童傳達了一些中國文化所沒有的東西。在中國文化裡，孩子對父母的要求絕對不敢置喙，或者不聽從、頂嘴。然而不管是在美國的書籍、電視節目或電影裡，若小朋友能理直氣壯的頂回大人，看來有獨立思考能力，反而會被嘉許。通常需要上一堂現實人生課程的人是父母，而且是由子女來教他們。

6. 良性循環

蘇菲亞的前三位鋼琴老師都不適合。第一位是個憂鬱的保加利亞老太太，叫作艾蓮娜，住在我家附近。她穿著邋遢的裙子和及膝長襪，一副把全世界的悲楚都扛在肩上的樣子。鋼琴課對她而言，就是到我家來自己彈琴一個小時，三歲的蘇菲亞和我則坐在沙發上聆聽她備受煎熬的苦悶。第一堂課結束時，我的感覺像是把頭埋進了爐子裡一樣，悶得難受，而蘇菲亞則是自顧自的玩她的紙娃娃。我不敢跟艾蓮娜說這樣上課的方式不行，怕她會趴在欄杆上號啕大哭，於是跟她說我們很期待上下一堂課，我會很快再跟她聯絡。

我們找的第二位老師是個奇怪的小個子，一頭短髮，戴副圓形金絲邊眼鏡，名字叫MJ。他原本在軍方工作，但是看不出來他是男是女，因為他總是穿著套裝、繫著蝴蝶結領結，不過我滿喜歡他就事論事的風格。第一次見面，MJ就告訴我們蘇菲亞絕對有音樂天賦。可惜的是，三星期後MJ就從人間蒸發了。

有一天我們和平常一樣到MJ家上課，卻不見他人影，住在裡面的是幾個陌生人，家具也都不是原來的。

　　第三位老師是個說話輕聲細語的大屁股爵士男，名叫理察。他說他有個兩歲的女兒。第一次見面，他就對我和蘇菲亞長篇大論的說活在當下和為自己彈鋼琴的重要性。理察不同於傳統的老師，他說他不認為用別人寫的琴譜有什麼好處，他重視的是即興和自我的表達。理察說音樂是沒有規則的，只有感覺對不對而已，沒有人有權利去評論你。還有，鋼琴的世界已經被重商主義和割喉競爭破壞殆盡。可憐的傢伙——我猜想他只是自己欠缺成功的條件吧。

　　我是中國移民家庭的長女，沒有時間拼湊或訂出我自己的規則。我得維護我們這個姓氏，要讓上了年紀的父母以我為榮，所以我喜歡一清二楚的目標，和可以清楚衡量成功的方法。

　　這就是我喜歡鈴木鋼琴教學法的原因。他們有七冊琴譜，每個人都從第一冊開始學。每一冊琴譜有十到十五首曲子，必須按照次序彈。勤於練琴的小朋友每星期都會拿到新的曲子，而不練琴的小朋友則會在同一首曲子原地踏步好幾星期，甚至好幾個月，於是有時候便因為無聊得要命而不學了。其結果就

是有些小朋友的**進度比別人快**，意思就是，埋頭練習的四歲小朋友可能超前六歲的小朋友，而六歲的小朋友可能超前十六歲的青少年，以此類推，而這就是鈴木教學系統以製造「神童」聞名的原因。

蘇菲亞的情形便是如此。她五歲時，我們已經決定跟著鈴木一位叫作米雪的好老師學琴，她在紐哈芬一間社區音樂教室有一間大大的鋼琴教室。米雪有耐心、觀察力敏銳，她了解蘇菲亞，看重蘇菲亞的天賦，而且看得很遠。蘇菲亞對音樂的喜愛全要歸功於米雪老師的長期培養。

鈴木教學法非常適合蘇菲亞。她學得真是快，而且有長時間聚精會神的本事，同時還具有一個文化上的優勢。學校裡大部分學生的父母都是作風開明的西方人，他們在練琴這件事上過於縱容子女。我記得有一個叫作奧布瑞的女孩，家長只要求她練跟她年齡一樣的分鐘數——當時她七歲，所以每天只要練七分鐘。其他許多小朋友練琴還可得到好處，包括獎金、冰淇淋聖代或樂高玩具。甚至有許多小朋友即使在上鋼琴課當天還可以不用練琴。

鈴木教學法的一大特色，就在於每一堂課家長都必須陪同，這樣才能在家督導孩子練琴。所以我一邊陪蘇菲亞上課，

一邊自己也學到了。我小時候上過鋼琴課，但是家裡沒有錢請好老師，後來就跟一個鄰居學。可是他有時候會在我上課時一面舉辦保鮮盒或鍋碗瓢盆的直銷會，效果可想而知。跟著蘇菲亞的老師，我開始學習所有的樂理和音樂史，這些對我而言全都是新鮮的。

有我在旁邊，蘇菲亞每天至少練琴九十分鐘，包括週末在內；在上課日當天練習的時間還會加倍。我讓蘇菲亞把所有的東西都背起來，不管老師沒有這麼要求，而且我從來沒有給過她半毛錢做為獎勵。這就是我們所以能快速彈完那些琴譜的方式，而別的家長則是以一年彈一本為目標。蘇菲亞從小星星變奏曲（第一冊）開始，三個月後彈舒曼（第二冊），六個月後彈克萊曼第（第三冊）。可是我仍嫌進度太慢。

現在似乎到了說肺腑之言的時候了。說實在的，蘇菲亞有我這個媽媽未必快活。根據蘇菲亞的說法，我在盯著她練琴時，真的跟她說過下面這三句話：

一、天哪，你真是愈彈愈爛。

二、我數到三，就要讓我聽到**音樂性**！

三、下次再**沒彈好**，我就要把你**所有的填充玩具**

拿去燒掉！

　　回想起來，這些話聽起來好像是有點太過分了，可是從另一方面來說，又超級有效。我和蘇菲亞堪稱完美母女二人組，我有信念和全神貫注的動力，而蘇菲亞有成熟度、耐性，以及我該有卻沒有的同情心。她接受這個前提：我知道什麼是對她最好的，而且我要見到那最好的；而她在我發脾氣或是出口傷人時，會包容我。

　　蘇菲亞九歲時在當地贏得一項鋼琴比賽。她彈的是挪威作曲家葛利格的《蝴蝶》。葛利格作了六十六首抒情曲，《蝴蝶》是其一。這些曲子都是迷你樂曲，每一首都意在激發某種心情或意象。《蝴蝶》應該是輕快自在的，而我們花了好多好多小時的苦練，彈起來才有那樣的感覺。

　　中國父母所了解的是，在精通之前絕無趣味可言。要精通任何事情，就必須下功夫，但是小朋友本身是絕對不會想要下功夫的，這也就是為什麼不去理會孩子的喜好非常重要。父母通常得發揮堅忍不拔的精神，因為孩子會抗拒；不過萬事起頭難，而西方父母往往是從一開頭便放棄了。其實只要做法得當，中國人的策略會產生良性循環。不屈不撓的練習、練習、

再練習，是追求卓越的不二法門；但這種練法美國人認為不可取。然而，小朋友一旦開始精通某件事情，無論是鋼琴或是數學，就會得到讚美、欽佩和滿足感，從中建立信心，讓這個原本不好玩的事情變得好玩起來，而這又使父母更容易讓孩子再加一把勁。

蘇菲亞在贏家音樂會（Winners Concert）上表演時，我看著她靈活的手指頭在琴鍵上翻轉滾動、忽上忽下，宛如真正的蝴蝶在翩翩飛舞，讓我又驕傲、又開心，而且充滿憧憬，恨不得第二天趕快來臨，可以再和蘇菲亞一起努力，一起學更多音樂。

♥傑德與我的婚禮

7. 老虎運

　　當我近三十歲時，我和每一位同代的亞裔美國女性一樣，動過念頭想以自己的家庭故事為藍本，寫成一本橫跨數代母女關係的史詩小說，不過那是在蘇菲亞出生之前。當時我住在紐約，正在設法搞清楚我到底為什麼要在華爾街一家律師事務所上班。

　　謝天謝地我這個人一向受幸運之神眷顧，因為我這輩子做的許多重要決定其實都是基於歪打正著。我進哈佛時念的是應用數學系，因為我以為這個選擇可以取悅我父母；後來爸爸眼睜睜看著我整個寒假都為了做習題而絞盡腦汁，便告訴我這個

系對我來說太難了。他這一說救了我，於是我便轉到經濟系，只因為這個系看起來還有點像是科學。我的畢業論文寫的是雙薪家庭的通勤模式，不過這個題目實在乏善可陳，所以我想不起來當時做了什麼結論。

後來我進了法學院，主要是因為不想讀醫學院。我在法學院很拚，所以成績不錯，甚至還擠進競爭激烈的《哈佛法律評論》，在那裡認識傑德，並當上執行編輯。可是我總是擔心當個法律人並非我的天命。我並不像別人那樣在乎罪犯的權利，而且每次教授點名點到我，就讓我全身緊繃。我也不是那種天生會對每件事抱著懷疑的態度、非弄個水落石出不可的人，我只想要寫下教授說的每一件事，然後背起來而已。

畢業之後，我順理成章的到華爾街一家律師事務所上班。我選擇執業法團（corporate practice），理由是不喜歡訴訟。我做得其實還不錯，也從不嫌工作時間長，而且很擅長理解客戶要的是什麼，然後將之轉換成法律文件。可是我在公司那三年裡老覺得自己像在演戲，雖然穿著套裝看起來很專業的樣子，可是心裡卻覺得荒謬。在那些和投資銀行家通宵開夜車起草法律文件的時刻，別人都因為涉及數十億美元的交易細節而青筋浮現，可是我卻發現自己的思緒飄到晚餐上，完全無法把心思

專注在該不該在下面這個長句的前面加上「就本公司所知」：

參考文件所包含或被視為包含的陳述應該為了本次公開說明的目的而被視為有待修改或是被取代，直到本文件或參考文件所包含的任何後續提出的文件所涵蓋的陳述修改或取代這樣的陳述。

而傑德熱愛法律，這個反差更加凸顯我不適合這行。他上班的律師事務所專精於一九八〇年代末期的購併案。他喜歡在事務所裡寫辯護狀和訴訟狀，而且成績斐然。後來他跑去檢察官辦公室上班，起訴黑手黨，也樂在其中。基於好玩，他寫了一篇關於隱私權的文章，篇幅長達百頁，完全是信筆拈來之作，而我們學生時代打工的《哈佛法律評論》也接受了這篇投稿（這份刊物以前幾乎從未刊登過教授以外的人所寫的文章）。

接下來他便接到一通耶魯大學法學院院長打來的電話。儘管一直想進入學術界的人是我（我猜因為我父親是學者吧），可是他卻在蘇菲亞出生的前一年得到耶魯法學教授一職。這是傑德夢寐以求的工作，他是教職員中唯一資歷最淺的教授，是

個金童,四周盡是傑出的同事,思考的方式和他一樣。

我一向自認為富有想像力,有許許多多的想法,可是和傑德的同事在一起時,我的腦袋瓜就變成一團漿糊。剛搬到紐哈芬時,我因為懷了蘇菲亞而請安胎假,傑德告訴他的同僚,我也在考慮從事教職。可是當他們問我對哪一種法律議題感興趣時,我覺得自己彷彿中了風似的,緊張到無法思考,也說不出話來。我勉強自己開口,不料卻思緒混亂、詞不達意。

我就是在這個時候決定寫一部史詩小說的。只可惜我沒有寫小說的天分,這一點早該從傑德讀我的手稿時客氣的咳嗽聲和勉強發出來的笑聲聽出來才對,何況湯婷婷、譚恩美、張戎都搶在我前面出了書——《女勇士》(*The Woman Warrior*)、《喜福會》、《鴻》(*Wild Swans*)。起初我一肚子怨氣,好在後來克服這個難題,得到了新的靈感,就是結合我的法律學位和我自己的家庭背景,撰寫開發中國家的法律與種族特點的問題,畢竟種族特點是我很喜歡討論的主題。法律與開發,當時研究的人少之又少,所以這才是我可以專攻的領域。

幸運之神對我微笑了。就在蘇菲亞出生之後,我寫了一篇關於拉丁美洲、東南亞國家的私有化、國有化以及種族特點的文章,而《哥倫比亞法律評論》同意刊登。我拿著這篇剛出爐

的文章，在全美各地申請法律教職，耶魯法學院聘任委員會邀請我前往面試時，我竟大膽答應了。我在耶魯大學看起來有幾分恐怖的莫里（Mory's）餐廳和委員會成員共進午餐，不料舌頭嚴重打結，兩位教授藉故提前離席。接下來兩個小時，法學院院長跟我大談義大利風格對紐哈芬建築的影響。

他們沒有邀我去見耶魯法學院所有的教職員，意思就是我沒有通過這場午餐面試。換言之，傑德的同事把我淘汰了。這實在不太妙，這下子社交活動有點不好應付了。

也是我時來運轉。蘇菲亞兩歲時，杜克法學院給了我一份教職工作。我欣喜若狂，立刻接受，於是我們便舉家搬到北卡羅來納州的杜罕市（Durham）。

Battle Hymn of the Tiger Mother

虎媽的戰歌

♥露露和她的第一把小提琴

8. 露露的樂器

　　我很喜歡杜克大學,同事個個大方親切又聰明,所以我交
了很多知心好友。唯一麻煩的是傑德還在八百公里外的耶魯大
學教書。我們(主要是傑德)在杜罕和紐哈芬兩地來來去去,
幾年也就這麼過了。

　　二○○○年,蘇菲亞七歲、露露四歲時,我接到紐約大學
法學院打來的電話,邀請我擔任客座教授。我一點都不想離開
杜克,可是紐約離紐哈芬近多了,所以我們還是打包搬到曼哈
頓住了六個月。

　　那六個月的壓力實在很大。在法律學界,「客座」的意

思就是試用。基本上這是為期一個學期的面試，所以要盡量讓每一個人認為你很聰明，同時極力巴結他們。（「可是班尼迪克，我要在雞蛋裡挑一下骨頭，你提出的典範轉移（paradigm-shifting）的模式，實際上的影響不是比你以為的更深遠嗎？」或是「我覺得我還沒有完全被你那篇『法律與拉康』論文的第八十一條注解說服，這樣太危險了，所以你可以讓我把這篇文章發下去給我的學生當作功課研究嗎？」）

要替孩子找學校時，才知曼哈頓那可怕的「聲名」完全不假。我和傑德見識到了那個小學三年級就在準備學術評估測驗（SAT）、三歲小娃就擁有信託基金和寫真集的世界。最後我們決定把蘇菲亞送到一所公立學校，因為就在我們住的公寓對面。至於露露要上幼稚園之前還得先參加一系列的考試。

我最想要露露進的幼稚園設在一座有彩色玻璃的美麗教堂裡面。入學處主任把露露帶進去才五分鐘就出來了，問我露露是不是不會數數——倒不是說不會數數有什麼不對，她只是要確認一下。

「天哪，她當然會數數啊！」我嚇了一大跳，大聲驚呼：「我來跟她說一下。」

我把女兒拉到一旁。「露露！」我小聲對她說：「你在**幹**

什麼？這不是鬧著玩的。」

露露皺起眉頭：「我只在腦子裡數。」

「你不能只在腦子裡數——你一定要大聲數出來，讓這位阿姨知道你會數數！她是在給你**考試**，假如你不數給他們聽，他們就不會讓你來這個學校。」

「我不想來這個學校。」

我已經說過，我不喜歡賄賂小孩那一套。聯合國和經濟合作發展組織都已批准反賄賂的國際公約，而且，真要賄賂的話，應該是小孩付錢給父母才對。可是我現在豁出去了。「露露，」我輕聲說：「只要你大聲數出來，我就會給你一根棒棒糖，還會帶你去書店。」

我拖著露露走回去。「她準備好了。」我高興的說。

這一次入學處主任允許我陪著露露一起走進測驗室。主任在桌上放了四塊積木，要露露數。

露露看了積木一眼，說：「十一，六，十，四。」

我的心涼了，恨不得一把拎起露露落荒而逃，可是主任鎮靜的再拿四塊積木加到原來那堆積木裡。「現在呢，露露——你可以數一數嗎？」

露露這一次盯著那些積木看了久一點，然後數：「六，

四，一，三，○，十二，二，八。」

我受不了了。「露露！別這樣──」

「沒關係，沒關係。」主任舉起手，臉上有一股好玩的神情，然後轉頭對露露說：「我看得出來，露露，你喜歡用自己的方式做事情。對不對？」

露露偷偷看了我一眼，因為她知道我在不高興，然後微微的點一點頭。

「是八塊積木沒錯，」主任不在意的說：「你說對了，雖然你是用一種特別的方法得到這個答案。想要用自己的方法，這是一件很好的事，也是我們學校鼓勵的。」

我鬆了一口氣，總算能呼吸了。這位主任喜歡露露，我看得出來。事實上，很多人都喜歡露露，她那種無法討好別人的個性反而是一種魅力。我心想，謝天謝地我們是住在美國，這個國家因為美國大革命的關係而崇尚叛逆性格。換成在中國的話，他們早把露露送進勞改營了。

諷刺的是，露露後來很喜歡她的新學校，而一向有幾分害羞的蘇菲亞反而比較適應不良。我們開家長會時，蘇菲亞的老師告訴我們，蘇菲亞是她教過最乖的小孩，可是她擔心蘇菲亞是不是不懂得如何交朋友，因為吃午餐時她總是一個人，下課

時也是拿著一本書在院子裡逛來逛去，不和別人玩。我和傑德大驚失色，可是問蘇菲亞在學校如何時，她卻堅稱自己在學校很愉快。

我們在紐約市勉強度過那個學期。我甚至設法讓紐約大學聘用我，而我也差一點就接受了，可是這時候正好接二連三的發生一些意想不到的事。我針對開發中國家的民主化與種族特點發表了一篇法律評論，受到耶魯大學決策階層的注意，他們決定聘我為終身教授。我接受了，然而想起七年前午餐會的受挫，心中苦樂參半。傑德終於結束了游牧民族生活，無需再兩地奔波，而蘇菲亞和露露也在紐哈芬的一所小學落腳。

這時露露也已經開始跟著蘇菲亞的老師米雪在社區音樂教室上鋼琴課。我覺得自己好像過著兩種截然不同的生活：早上五點起床，花半天時間寫作，做耶魯法學教授該做的事；然後趕回家和兩個女兒一起進行日常的練琴。而露露練琴時，我們母女之間總是少不了唇槍舌劍，不是威脅勒索，就是出言恐嚇。

後來發現露露其實是個天生的音樂人，幾乎有絕對音感，只可惜她討厭練琴，練的時候也不專心，寧願聊窗外的小鳥或是我臉上的皺紋。不過，跟著鈴木的鋼琴本學習，她還是進步

神速。她在音樂發表會上的表現從不會像姊姊那樣完美無瑕，可是她的風格和才華與蘇菲亞旗鼓相當，彌補了技術精準度的不足。

此時，我覺得露露該開始學不同的樂器了。一些有經驗的朋友建議我，最好讓兩個孩子培養不同的興趣，以免兩人相互競爭。言之成理。因為蘇菲亞的琴藝已經開始起飛，在當地贏得很多獎項，也常常受老師、教會、社團邀請前往表演，所到之處，露露都會聽到別人對她姊姊的熱烈讚揚。

接下來的問題就是露露該選擇哪一種樂器？傑德那些作風開放又有智慧的家人，對這一點有強烈看法。他們知道露露個性固執又任性，而且聽過她在練琴時發出的尖聲鬼叫，所以力促我讓她學壓力比較小的樂器。

我的公公賽建議：「學直笛如何？」賽高大魁梧，一副希臘宙斯神的模樣，他在華府執業做心理治療，生意很好。他這個人其實挺有音樂才華的，嗓音也低沉有力。事實上傑德的姊姊也有一副好嗓子，從這一點看來，蘇菲亞和露露的音樂細胞應是得自他們家的遺傳。

可是我婆婆佛蘿倫絲得知賽的建議時一臉不以為然：「那多無聊啊。」佛蘿倫絲住在紐約市，是位藝評家，不久前才出

版了一本葛林柏格（Clement Greenberg）的傳記。葛林柏格是備受爭議的當代藝術藝評家，實際發現了波洛克（Jackson Pollock）與美國抽象表現主義。佛蘿倫絲和賽離婚已二十年，基本上她對他所說的任何事情都有意見。「要不要學刺激一點的，像是印尼的甘美朗？她可以學敲鑼嗎？」

　　佛蘿倫絲是個優雅而愛冒險的都會女性。她多年前去過印尼，被爪哇人的甘美朗迷住了。甘美朗樂團是由大約十五到二十位樂師組成的，他們盤腿坐在地上演奏小掛鑼（kempul，有各種音高的一組鑼）、沙倫（saron，一種鐵琴），或伯農（bonang，一綑壺，像打鼓般敲擊，聲音聽起來像排鐘）。

　　說來有趣，法國作曲家德布西對甘美朗樂團的反應和我婆婆一樣，都認為甘美朗是一種啟示。他在一八九五年寫信給一位朋友說，爪哇音樂「能夠傳達每一層意義，包括無法言傳的在內」。他後來發表了一篇文章，形容爪哇人是個「奇妙的民族，他們演奏音樂就像呼吸一樣，不費吹灰之力便可學會。他們的流派包括有海洋永恆的節奏、樹葉裡的風，以及一千種其他細微的聲音。他們總是非常仔細的聆聽，從來不去參考那些靠不住的論述。」

　　在我看來，德布西當時只是在經歷一種崇拜異國風情的狀

態。同樣的情形發生在德布西的法國同胞盧梭和高更身上，高更後來便一直畫玻里尼西亞原住民。這個現象還有一種格外令人生厭的變相做法，在當代的加州可以看得到，那就是有「黃熱病」的男人，他們只與亞洲女性約會，有時甚至連續和幾十個人約會，不論對方有多醜或者是哪一種亞洲人。我要聲明一下，傑德在我之前從未與任何亞洲女性約會過。

在一九九二年我們去印尼時，我就聽過甘美朗音樂，或許我無法欣賞這種音樂的原因，在於我崇拜的是「難度」和「成就感」。我不知道對露露吼過幾百次：「每一件值得做的好事，做起來都是困難的！你知道我付出了多少心血才得到在耶魯大學的這份工作嗎？」而甘美朗音樂說穿了就是催眠，因為它太簡單、沒有結構性，就只是一直不斷的重複。反之，德布西傑出的作品則反映出複雜性、野心、創造力、意圖，以及有意識而和諧的探索。對了，裡面還有甘美朗的影響──至少在他的某些作品裡是有的。這就像是散發魅力的竹葉小屋與凡爾賽宮之間的差異。

不論如何，我拒絕讓露露學鑼，也拒絕讓她學直笛。我的直覺和我公婆正好相反。我認為要讓露露擺脫優秀姊姊的陰影，唯一的方法就是去學習一種難度更高、更像演奏家的樂

器，這就是我選擇小提琴的原因。我沒有徵詢露露的意見，也不理會身邊每一個人的建議，然而在我做出這個決定的那天，就決定了我自己的命運。

Battle Hymn of the Tiger Mother

虎 媽 的 戰 歌

9. 小提琴

　　中國人常喜歡做一件討人厭的事情，就是公然比較子女。我在成長過程中，倒是從來不覺得這件事有那麼討厭，因為我總是占上風。我奶奶對我的偏愛遠勝於對我三個妹妹。家人聚會時，她會指著我的一個妹妹說：「你看她那個鼻子有多扁啊。不像美兒，鼻子又漂亮又挺。美兒看起來就像我們蔡家的人，那個啊……長得就像她媽媽那邊的人，活像隻猴囝仔。」

　　我奶奶固然是個極端的例子，然而不少中國人每天都在做這種事。我最近去一家中國人開的藥局，老闆告訴我他的女兒六歲，兒子五歲。「我女兒啊，」他說：「她聰明，唯一的問題就是**不專心**。我兒子呢——他不聰明。我女兒聰明。」另一次，我朋友凱絲琳參加一項網球巡迴賽時，和一位看著女兒與對手捉對廝殺的中國媽媽聊了起來。那位媽媽告訴凱絲琳，她就讀布朗大學的女兒可能會輸球。「我這個女兒很弱，」她搖頭說：「她姊姊——就好多了，她念的是哈佛。」

　　我現在明白家長偏心是不好的，令人反感，然而我要為中國人講幾句話。首先，家長偏心這種事在所有文化裡都可以看到，例如在聖經創世紀裡，以撒偏心以掃，而利百加則比較喜歡雅各；在格林童話裡，總是有三兄弟受到不公平的待遇。反之，並不是所有中國人都會偏心。在《中國五兄弟》故事裡，就看不出來媽媽愛那個可吞下海水的兒子，勝於愛另一個脖子如鋼鐵般堅硬的兒子。

　　其次，我不認為家長所做的比較全都是不公平的。傑德常常批評我拿蘇菲亞和露露做比較。沒錯，我是對露露說過這樣的話：「我要蘇菲亞做什麼事，她就會馬上去做，所以她才會進步那麼快。」可是當我說這類話時，並不是偏心蘇菲亞，恰恰相反，我其實是表達出對露露的信心。我認為蘇菲亞會做的事，她也會做，而且她已經夠堅強，可以接受我指出的事實。我也知道露露自己反正會和蘇菲亞比較，所以我有時候才會對她這麼嚴厲，不讓她耽溺於內心的懷疑。

　　這也是為什麼在露露上第一堂小提琴課那天的早上，在她見到新老師之前，我就對她說：「記住，露露，你才六歲，蘇菲亞九歲的時候得到她的第一個演出獎，我覺得你會比她更早拿到獎。」

露露對我的話反應不佳，她說她討厭比賽，而且一點也不想學小提琴。她不肯去上課。我威脅要打她屁股，而且不給她吃晚餐（這個威脅當時對她還有效），才把她送進了社區音樂教室，而被派來教露露的鈴木小提琴老師舒加也解救了我們。

　　舒加老師年約五十，一身雅痞風的穿著，頭上的金髮已經稀薄。他是那種和小朋友相處比和大人相處自在得多的人。他對家長相當冷淡，一副尷尬樣，也幾乎無法和我們有視線接觸，可是跟小朋友在一起時就變身為一個天才，放鬆、風趣、妙語如珠、深具鼓舞力量。他恍如社區音樂教室的花衣魔笛手（童話故事中的捕鼠吹笛人，老鼠乖乖跟在後面走），他的學生約有三十個，包括露露在內，都會亦步亦趨的跟著他。

　　舒加老師的祕訣就在於他會把與小提琴有關的每一種技術，化為小朋友聽得懂的故事或影像，解釋給他們聽。他不用圓滑奏、斷奏、漸快這些術語，取而代之的是輕輕撫摸一隻發出呼嚕呼嚕聲音的貓、一大群行進的螞蟻雄兵，以及騎單輪車滑下山坡的老鼠。我記得他教露露德佛札克那首著名的第七號幽默曲的方法就讓我佩服不已。一開始人人耳熟能詳的第一主題之後，接下來是感傷的第二主題，應該要誇張的用既悲又喜的那種痛苦來拉奏──這要如何跟一個六歲的小孩解釋？

　　舒加老師告訴露露，第二主題是哀傷的，但又沒有悲哀到像有人要死掉那樣。他要她想像：媽媽答應只要她每天都鋪床，一星期後就給她吃有兩球冰淇淋的甜筒，她乖乖照辦了，可是一星期後媽媽卻食言，更過分的是，媽媽竟然買了一個甜筒給什麼事都沒做的姊姊。此情此景顯然觸動了露露的心，自此以後她演奏幽默曲時就聽來非常辛酸，感覺好像這首曲子是為她量身而寫的。直到今天為止，我每次聽到幽默曲（可以在YouTube上看到帕爾曼和馬友友演奏這首曲子），就會聽到舒加老師補充的歌詞：「我要——我的冰淇淋，啊把我的冰淇淋給我；你答應給我——的冰淇淋呢？」

　　不可思議的是，雖然是我要露露學小提琴的，然而當下便可看出，小提琴對露露有一股自然的吸引力。儘管學琴才不久，但是她在拉奏時身體便會自然的擺動，而且對樂曲好像真的很有一番感受，所以時常會打動人。她在舒加老師的發表會上總是光芒四射，而其他家長總是來問：我們家人是不是有音樂的天分？露露是不是以後要當職業小提琴家？他們完全想像不到我們在家練琴時發生的浴血戰。我和露露就像兩隻叢林野獸——老虎對豬，她愈是頑強抵抗，我的攻勢就愈兇猛。

　　星期六是我一星期中最精采的一天，整個早上都泡在社區

音樂教室。那裡充滿了二十種樂器的能量與聲音。露露不但跟舒加老師上小提琴課，下課後還要和他一起去上鈴木團體音樂班，接著還要和蘇菲亞合上一堂小提琴與鋼琴合奏課。（露露的鋼琴課並沒有停，上課時間是星期五。）上完三小時的課回到家之後，我們還要想辦法做課後練習，因為沒有任何事情比下星期上課時大有進步更重要！晚上露露睡著以後，我還會讀小提琴技巧的書，一面聽史坦、帕爾曼或宓多里的CD，想知道他們到底是如何讓琴聲聽起來如此美妙的。

　　我承認這樣的安排是有點太緊，可是我覺得自己是在和時間賽跑。中國的兒童一天練習十小時；韓裔小提琴家張永宙七歲就在紐約愛樂的梅塔面前試奏。每一年都有一些拉脫維亞或克羅埃西亞七歲的新面孔演奏超難的柴可夫斯基小提琴協奏曲，在國際音樂大賽一舉奪下首獎，而我已經等不及要露露去參加那些比賽。何況，在教養孩子方面，我在家裡並不占優勢，因為我的美國老公認為童年應該是要好好玩才對。傑德總是想和兩個女兒玩桌上遊戲，或是和她們打迷你高爾夫。最糟糕的莫過於開車帶她們大老遠去水上遊樂園，玩那危險的滑水道。我最喜歡和兩個女兒做的事就是讀書給她們聽；我和傑德每天晚上會輪流讀，那一直是我們一家四口每天最喜歡的時光。

小提琴真的很難，而且在我看來比鋼琴還難學得多。首先是要夾住小提琴，彈鋼琴就沒有這個問題。和一般人以為的相反，小提琴不是用左臂托著的，只是狀似如此而已。根據最有名的小提琴老師弗雷許在《演奏小提琴的藝術》一書所述，小提琴是要「放在鎖骨上、用左下頜固定住」，讓左手能夠自由的移動。

如果你覺得用鎖骨和下頜固定住東西並不舒服，那你就對了。除此之外，還會有一個木製腮托頂住你的脖子，結果就造成了「小提琴吻痕」，也就是在下巴下面留下一塊粗糙而且會痛的紅斑。大部分小提琴手和中提琴手都有這個吻痕，甚至視之為一種榮譽的標記。

然後還有「音準」（意思是樂音有多準確），這是另一個我認為小提琴比鋼琴難學的原因，至少對初學者而言是如此。彈鋼琴時只要按下一個琴鍵，就知道是什麼音，但是拉小提琴時，就非得把手指頭放在指板上正確的位置才行，否則就算只偏離一公厘，音準也不對。儘管小提琴只有四根琴絃，卻能產生五十三個音，每個音差半音，而用不同的琴絃和琴弓技巧又可以產生無限多的音色，所以人們常常說小提琴可以捕捉到每一種情緒，而且是最接近人類聲音的樂器。

鋼琴和小提琴有一個共同點（也與許多運動相同），就是除非很放鬆，否則無法演奏得很動人。手臂不放鬆，打網球時就無法殺球，打棒球時球也投不遠，而如果把琴弓壓得太緊或是壓在琴絃上，小提琴就無法發出甜美的琴音。「把你自己想成一個布娃娃，」舒加老師會告訴露露：「鬆鬆垮垮的，全身不用力，什麼都不在乎。你非常的放鬆，所以手臂覺得很沉重，可以感覺到自己的重量……一切交給重力就好……很好，露露，很好。」

　　「**放鬆**！」我則在家扯開喉嚨嘶吼：「舒加老師說**布娃娃**！」我總是盡可能的強調舒加老師說的重點，可是露露不願聽我說，只要我在一旁她就會煩躁易怒。

　　有一次，她練習到一半便脫口大叫：「**不要再說了，媽咪。不要再說了。**」

　　「我什麼話都沒說啊，」我回答：「我一個字也沒說。」

　　「你在腦海裡說的話讓我覺得很煩，」露露說：「我知道你在想什麼。」

　　我生氣的說：「我什麼也沒有想。」可是其實我剛才的確在想露露的右肘抬得太高，她的力度全錯了，還有她得把樂句表達得再好一點才行。

「你什麼都不要想！」露露下達命令：「除非你什麼都不要想，否則我就不拉了。」

露露總是有本事惹我生氣。吵架是不練琴的一個方式，但是那次我沒有上鉤。「好。」我靜靜的說：「你要我怎麼不想？」讓露露有主控權有時候反而可以讓她消消火氣。

露露想了一下。「捏住你的鼻子五秒鐘。」

這麼簡單！我樂得照辦，於是她繼續練習。這種時候我們可說相處愉快。

露露和我水火不容卻又緊密相連。兩個女兒小時候，我有一個電腦檔案一字不漏的記載一些特別的談話。以下是我在露露七歲左右時和她的一段談話：

我：露露，我們是怪怪好夥伴。

露：是啊──又怪又可怕。

我：！！

露：開玩笑的啦（擁抱媽咪）。

我：我要把你說的話寫下來。

露：不要！聽起來會很惡劣！

我：我會把擁抱的部分加進去。

我這種極端的教養方式倒是有一個不錯的副產品，就是蘇菲亞和露露的感情超好，兩人成為戰友，共同抵抗專橫又狂熱的媽媽。「她有病。」我會聽到她們兩個壓低聲音說，然後吃吃地笑。可是我不在乎，我可不是那種不堪一擊的人，不像有些西方家長那樣。我經常對兩個女兒說：「我當媽媽的目的，就是讓你們為未來做好準備，而不是要讓你們喜歡我。」

　　有一年春天，社區音樂教室的主任邀請蘇菲亞和露露在一場節慶活動上表演二重奏，這項活動是為了向首席女高音諾曼（Jessye Norman）致敬。在威爾第那齣壯觀的歌劇《阿依達》裡諾曼擔綱女主角。因為我爸爸最喜歡的歌劇就是《阿依達》（而我和傑德正是在《阿依達》的〈勝利進行曲〉中步入結婚禮堂的），所以我安排爸媽從加州前來聆賞。兩個女兒穿著互相搭配的長洋裝，演奏莫札特的E小調小提琴與鋼琴奏鳴曲。我個人認為這首曲子對她們來說太過成熟，小提琴和鋼琴之間的一來一往的銜接不太好，聽起來不像是在對話，可是好像沒有人注意到。她們一鳴驚人，造成轟動。後來諾曼還對我說：「你這兩個女兒非常有天分，你真是太幸運了。」雖然家裡硝煙不斷，然而，這一切是我這一生最美好的部分。

虎 媽 的 戰 歌

10. 牙齒印與香檳氣泡

　　某些事中國父母可以做，但是西方父母則不然。我小時候，有一次（可能還不只一次吧）對媽媽出言不遜，爸爸氣得用福建話罵我是「垃圾」。這話很有效，讓我覺得自己很糟糕，非常羞愧，而爸爸的責罵並沒有傷到我的自尊心。我非常清楚他有多麼看重我，所以我並不因此而認為自己沒有用，或是覺得自己像垃圾一樣。

　　當媽媽後的我，有一次對蘇菲亞做了同樣的事，因為她對我非常不禮貌，所以我用英文罵她垃圾。我在一次晚宴上提及此事，馬上察覺到別人對我的排斥。一個叫作瑪西的客人氣得眼淚掉下來，後來不得不提早離去。我的朋友蘇珊是主人，她試著幫我打圓場，修復和其他客人之間的關係。

　　「哎呀，誤會誤會，美兒只是比喻而已——對不對，美兒？你並沒有真的罵蘇菲亞『垃圾』。」

　　「嗯，我是這麼罵了她，不過這和當時的情形有關。」我

試著解釋：「這是中國移民做事的方法。」

「可是你又不是中國移民。」有人指出。

「說得好，」我承認：「難怪這一招沒有用。」

我這麼說，只是想讓她們心裡舒坦一些，其實這個方法對蘇菲亞有用得不得了。

中國父母也會做一些在西方人看來難以想像、甚至是會挨告的事。中國媽媽可能對女兒說：「喂，小胖胖，減肥一下吧。」西方父母就必須小心翼翼的處理這件事，從「健康」著眼，絕對不能提到「胖」這個字，可是他們的子女到頭來還是可能因為飲食失調和自我形象不佳而接受治療。（我有一次還聽到一位西方爸爸向他已成年的女兒舉杯，說她「美麗又非常能幹」。那個女兒後來告訴我，那句話讓她覺得自己一無是處。）中國父母可以命令子女成績一律要拿A，而西方父母只能要求子女盡力而為。中國父母可以說：「你太懶了，你所有同學的成績都超過你了。」然而西方父母卻必須力抗自己對成績的那種矛盾感覺，盡量說服自己無論兒子將來如何，他們都不會大失所望。

我苦思良久，中國父母做這些事何以未受到責怪。我想，是因為中國家長和西方家長在心態上有三大不同。

首先，我注意到西方家長很擔心子女的自尊心受損。他們擔心子女一旦做某件事情失敗，會有什麼感受，所以就算考試成績或演奏會表現平平，西方家長還是不斷告訴子女他們有多棒。換句話說，西方父母關心的是子女心裡的感覺。中國父母則不然，他們認為孩子沒那麼脆弱，所以做法截然不同。

　　舉例來說，假如孩子拿了A⁻的成績回家，西方父母很可能會讚不絕口，換成中國媽媽卻會嚇壞，忙問是怎麼回事。孩子考試得了個B，有些西方父母還是會讚美孩子，有的則會要孩子坐下來，說這種成績不能接受，不過會小心措詞，避免讓孩子失去自信或安全感，也不會罵孩子「笨」、「沒有用」或者「可恥」。然而暗地裡，他們有可能對孩子的成績很擔心，擔心孩子對這個科目沒天分，或者認為課程有問題，甚至是整個學校都有問題。如果一段時間後孩子的成績依然沒有起色，這些家長最後可能會安排時間和校長會面，質疑這一科的教學方式，或是質疑老師的資格。

　　要是中國小孩把B的成績拿回家（只是假設，絕無可能發生），先會引起一聲尖叫和氣急敗壞的反應，然後大受打擊的中國媽媽會去拿幾十張、甚至幾百張的測驗卷，和孩子一起練習，練到孩子的成績進步到A為止。中國家長要求頂尖的成

績，因為他們認為這是孩子能力所及。要是拿不到，只有一個原因，就是不夠用功，所以當然要予以責罵、懲罰和羞辱。中國家長認為子女夠堅強，承受得了這種對待，而且成績會因此變好。（當中國子女表現出色時，便會聽到自我膨脹的家長在家裡大肆讚美。）

第二，中國家長認為子女欠父母。會這麼想的原因不太清楚，不過有可能是因為孔子倡導的孝道，加上家長為子女犧牲和付出這許多的關係吧。（中國媽媽的確是置身最前線，每天都花很多時間在孩子身上，不管是課業、課外的學習，或生活起居，無一不盯得緊緊的。）總之，中國人的基本觀念就是子女必須聽父母的話，讓父母引以為榮，用一輩子報答父母。而我不認為多數西方人會有這種「子女永遠欠父母」的想法。事實上，傑德的觀念就正好和我相反。他有一次跟我說：「孩子無法選擇父母，他們甚至無法選擇出生。是父母強行把生命加諸於子女的，所以提供他們所需的一切是父母的責任。小孩子什麼也不欠父母，他們對自己的小孩才有責任。」在我看來，當西方家長實在太不划算了。

第三，中國父母自以為清楚什麼事情對子女最好，所以不把子女所有的欲望和喜好當一回事。此所以中國女孩讀高中時

不能交男朋友、中國小孩不能在外過夜的原因。而且，中國小孩永遠不敢對媽媽說：「我要參加學校的話劇演出！我演第六號村民，每天放學後三點到七點都要在學校排戲，週末你也要送我去學校。」膽敢這麼做的中國小孩，上帝保佑你了。

別誤會我的意思，我不是說中國父母不關心子女。正好相反。他們願意為子女放棄一切，只是教養的模式截然不同而已。我是以中國人的方式思考教養，但是我知道很多非中國父母，比如韓國、印度或巴基斯坦父母，他們的心態也大同小異，所以這可能是移民的心態，或者也可能是身為移民加上某些文化的結合吧。

傑德是在完全不同的教養模式下長大的。他的父母都不是移民。賽和佛蘿倫絲是在賓州斯克蘭頓市附近出生成長的，出自嚴格的東正教猶太家庭。他們兩人都是幼年喪母，童年也都備受壓抑，過得很不快樂，所以婚後便盡快的離開賓州，後來定居華府。傑德和哥哥姊姊就在那裡長大。賽和佛蘿倫絲這對父母決心給予子女他們幼年被剝奪的空間和自由，他們相信個人選擇，重視獨立、創意，質疑威權。

我的父母和傑德的父母有天壤之別。傑德的父母讓他自己選擇要不要學小提琴（當時他拒絕了，現在後悔不已），把他

牙齒印與香檳氣泡 10.

當成一個有思想的人看待；我的父母卻從不給我任何選擇，從來不問我的意見或看法。傑德的父母每年暑假都讓他和哥哥姊姊在一個叫作水晶湖的度假勝地去玩，傑德說那是他這輩子最快活的時光，所以我們現在也常帶兩個女兒去那兒玩。而我暑假必須去學寫電腦程式，所以我很討厭放暑假。（小我七歲、與我最知心的妹妹美文也有同感，她除了也得上電腦程式課之外，還得念文法書，自學句型結構打發時間。）傑德的父母品味高，收藏美術品，我的父母沒有這種嗜好。傑德的父母只幫他付部分學費，我的父母總是支付一切費用，但一心指望老有所養，而且要孩子尊重他們，聽他們的話。傑德的父母就從來沒有這種期望。

傑德的父母常常自己跑去度假，不帶小孩同往。他們會和朋友去瓜地馬拉（差一點被綁架）、辛巴威、爪哇的婆羅浮圖、印尼（他們就是在那裡聽到甘美朗的）之類的危險地方旅行，我的父母則從來不曾丟下我們四個蘿蔔頭，自己去度假。這表示我們出遊時得住在一些非常便宜的汽車旅館。而且我的父母是在開發中國家長大的，所以就算有人給他們錢，他們也不會去瓜地馬拉、辛巴威或婆羅浮圖；他們帶我們去的是歐洲，那是有政府的地方。

雖然我和傑德從來不曾明確的討論過這個問題，但是我們後來基本上在家裡是採取中國的教養模式，原因有幾個，第一，我和許多媽媽一樣，負責大部分的教養工作，所以我的教養方式占上風合情合理。就算我和傑德做的是同樣的工作，而且我和他在耶魯一樣忙，但管女兒的課業、中文課，以及練琴的人向來是我。第二，撇開我的觀點不談，他也贊成嚴格的教養方式。他對某些家長從來不對兒女說「不」的作風不以為然，說了「不」卻不落實當然更不可取。然而傑德雖然很會對兩個女兒說不，對她們卻沒有什麼積極的計畫。他絕不會強迫她們去彈鋼琴或拉小提琴，他也沒有絕對的信心，不知道自己能不能為她們做出正確的抉擇。而這就是我發揮作用的地方了。

可是，也許最重要的是，我們會採取中國模式，是因為初步的結果實在無可挑剔。常有家長問我們有什麼教養的祕訣。蘇菲亞和露露是模範兒童，她們彬彬有禮、討人喜歡、樂於助人、談吐得體。她們是資優生（蘇菲亞的數學能力領先同學兩年），會說一口流利的普通話，而且她們演奏古典音樂的功力讓人人稱奇。簡而言之，她們就像中國小孩一樣。

只是又不完全一樣。一九九九年我們第一次帶兩個女兒去

牙齒印與香檳氣泡 10.

中國大陸。蘇菲亞和露露都有褐色的頭髮、褐色的眼睛和亞洲人的五官，而且兩人都會說中國話。蘇菲亞對端上桌的任何食物來者不拒，包括鴨掌、豬耳朵、海參等，這是中國人另一個重要的身分認同。然而我們在中國每到之處，包括大都會上海在內，她們都會吸引好奇的當地人緊盯著她們看，吃吃地笑，對這「兩個會說中文的小老外」指指點點。在四川的成都貓熊保育中心，我們對著剛出生、不停蠕動的粉紅色貓熊拍照，而中國旅客的鏡頭卻對著蘇菲亞和露露。

回到紐哈芬一兩個月後，有一天我提到要蘇菲亞接受傳承當個中國人時，她打斷我的話：「媽咪──我不是中國人。」

「你是。」

「才不是，媽咪──只有你認為我是。在中國沒有一個人認為我是中國人，而且在美國也沒有一個人把我當中國人看。」

這一點使我大為惱火，可是我只說：「噢，他們都搞錯了。你是中國人。」

蘇菲亞在音樂上嶄露頭角的第一個重大時刻是在二○○三年，那年十歲的她贏得大紐哈芬協奏曲比賽，取得了在耶魯大學巴泰爾教堂與紐哈芬一支青年管絃樂團合作、擔任鋼琴獨奏

的資格。我樂壞了，把當地報紙對蘇菲亞所做的報導放大，裝框裱起，並邀請了一百多人前往音樂會，還計畫在表演結束後舉辦一場大型的慶功宴。我幫蘇菲亞買了她生平第一件及地的禮服和新鞋子。爺爺奶奶、外公外婆全來了。表演的前一天，我媽在我們家廚房做了好幾百個珍珠丸子，佛蘿倫絲則做了十磅的醃漬鮭魚。

蘇菲亞則火力全開的練琴。她要表演的是莫札特的D大調鋼琴與樂團的輪旋曲，這是莫札特最令人振奮的曲目之一。莫札特的曲子出了名的難，他的樂曲以明快鮮活、旋律優美、活潑快樂、演奏起來不費力著稱，但是這些形容詞卻令大部分樂手心生懼意。有一個說法是，只有年輕人和老人能把莫札特彈好，年輕人是因為他們不經意，老人則是因為他們已不再嘗試去打動任何人。蘇菲亞彈的輪旋曲是莫札特的經典之作。米雪老師告訴她：「彈快速音群和顫音的時候，在腦海裡想像著香檳或是義大利蘇打汽水，還有那些上升到頂端的泡泡。」

蘇菲亞可以面對任何挑戰。她的學習速度快得讓人難以相信，十指快如閃電，而且最棒的是，我說的每一句話她都聽進去了。

這時的我已搖身成為練習班長。我把輪旋曲拆開來，有

時候是用小節分段，有時候是以目的來分。我們花一小時專門練習運音法（音符的清晰度），接著一小時只練速度（配合節拍器），然後練習一小時力度變化（大聲、柔聲、漸強、漸弱），一小時樂句的分句（塑造音樂的線條）等等。連續好幾星期下來我們每天都練到很晚，而且我說重話絕不心軟，若是蘇菲亞的眼裡噙著淚水，我會把話說得更重。

那個大日子終於到來時，我忽然全身動彈不得，所以我這個人是絕對成不了演奏者的，可是蘇菲亞看起來卻很興奮。在巴泰爾教堂，她走上台以獨奏者的身分一鞠躬，臉上帶著大大的笑容，我看得出來她十分開心。在這間堂堂的黑橡木音樂廳裡，鋼琴前的她顯得嬌小而勇敢；看著她演奏那首曲子，我的心因為一種難以言語的痛楚而發疼。

演奏結束後，親朋好友和一些素昧平生的人紛紛前來恭喜我和傑德。他們說，蘇菲亞的演奏聽起來心曠神怡，而且她的演奏無比優雅。滿臉笑容的米雪說，蘇菲亞顯然很適合彈莫札特，她從沒有聽過輪旋曲彈得如此清新又活潑生動的。「顯然她在演奏時樂在其中，」社區音樂教室那位渾身充滿活力的主任賴瑞對我說：「若不是樂在其中，絕對不能彈得那麼好。」

不知何故，賴瑞的話讓我想到一件多年前發生的事。當時

蘇菲亞才剛開始學鋼琴，可是我已經在用力鞭策她。有一天，傑德在鋼琴上發現一些奇怪的痕跡，就在中央C音上方的那塊木頭上。他問蘇菲亞那是什麼時，她的臉上出現一絲歉疚的表情。「你說什麼？」她想閃躲問題。

　　傑德蹲下來仔細看那些痕跡。「蘇菲亞，」他慢慢的說：「這有可能是牙齒印嗎？」

　　結果的確就是牙齒印。在追問之下，當時六歲左右的蘇菲亞坦承，她時常用牙齒去咬鋼琴。傑德跟她解釋，這座鋼琴是我們家最貴的一件家具，後來蘇菲亞答應以後不再這麼做。我不太知道為什麼賴瑞的說法讓這件往事又浮上了我的腦海。

牙齒印與香檳氣泡

Battle Hymn of the Tiger Mother

虎 媽 的 戰 歌

11. 小白驢

接下來這個故事可看出我多麼偏愛用高壓手段——中國式的。露露差不多七歲的時候開始練習法國作曲家易貝爾（Jacques Ibert）的鋼琴曲〈小白驢〉。（此時她仍在同時學習兩種樂器。）〈小白驢〉真的很可愛，會讓人想像一隻小驢子和主人緩緩走在一條鄉間道路上的情景，可是這首曲子對小朋友來說很難，因為兩隻小手必須保持不同的拍子，好像精神錯亂似的。

露露練不來。我們連續練了一星期，雙手分開練，一遍又一遍，可是每次只要雙手合起來彈，總是會有一隻手的拍子變得跟另一隻手一樣，然後就彈得支離破碎。最後，到上課的前一天，露露賭氣宣布她不練了，然後踏著重重的腳步一走了之。

「你給我馬上回來。」我下令。

「你不能強迫我。」

「哼，你試試看我能不能。」

露露雖然回到鋼琴前了，卻不甘示弱，一陣拳打腳踢，再一把抓起琴譜撕爛。我用膠帶把樂譜黏好，加上一層塑膠護貝保護。然後我拖著露露的娃娃屋到車上，告訴她如果第二天沒有把〈小白驢〉練好的話，我就會把娃娃屋一塊一塊的捐給救世軍。露露說：「我以為你已經去救世軍了，你怎麼還在這裡？」於是我揚言不給她吃午餐、晚餐，也沒有耶誕節、哈奴卡節禮物，以後兩年、三年、四年都不幫她辦慶生會。招式出盡，她還是一直彈錯。我就說她是故意要練到讓自己發狂，因為她心裡害怕自己做不到。我還告訴她別再偷懶、害怕挑戰、縱容自己，做出一副可憐相。

傑德把我拉到一旁，要我別再羞辱露露（但其實我不是羞辱她，我只是在激發她的動力），而且他也不認為威脅對露露有什麼用。還有，他說，也許露露就是學不會那個技巧，也許她就是缺乏協調能力，我有沒有考慮到有這個可能性？

「你就是不相信她做得到。」我指責他。

「別胡扯了，」傑德輕蔑的說：「我當然相信她。」

「蘇菲亞在這個年紀就會彈這首曲子。」

「可是露露和蘇菲亞不同。」傑德指出。

「拜託，別跟我來這套，」我瞪著眼睛說：「說什麼每一個人都有他的強項。」我諷刺的模仿說：「就算輸家也有他們的特別之處。哼，用不著你擔心，你一根手指頭也用不著動。我很樂意花時間，花再多的時間也行，而且我喜歡惹人厭。你盡可以繼續當她們崇拜的偶像，因為你做鬆餅給她們吃，帶她們去看洋基隊比賽。」

我捲起袖子回到露露身邊，搬出我想得出來的每一樣武器和策略。我們沒有吃晚餐就這麼一直練到晚上，而且我就是不讓露露起身，不讓她喝水，甚至也不讓她上廁所。家裡成了戰區，我扯破喉嚨的喊，但是依然不見起色，最後連我也開始懷疑了。

可是，意想不到的是，就在這個時候，露露竟然做到了。她的雙手突然就配合得起來，右手和左手可以不動聲色各彈各的。她做到了。

露露和我同時意識到這一點。我屏住氣息，而她試探性的又試了一次，接下來便比較有自信的彈，而且加快速度，但是仍能維持好節奏。過了一會兒，她笑容燦爛的說：「媽咪，你看──好簡單耶！」後來她便一遍又一遍的彈那首曲子，不肯離開鋼琴。那天晚上，她來睡在我的床上，我們窩在一起抱

抱，把彼此壓得扁扁的。一、兩星期之後，她在一場演奏會上表演〈小白驢〉，有幾個家長事後對我說：「這首曲子真是太適合露露了——非常有活力，非常**有她的味道**。」

那次就連傑德也服了我。西方父母很擔心傷到子女的自尊心，然而家長為維護子女的自尊心而做的最糟的事，就是讓他們放棄。從另一方面來說，建立自信最好的方法，莫過於知道自己可以做到原本以為做不到的事。

坊間有很多新書把亞洲媽媽形容為工於心計、麻木不仁、漠視子女興趣的拚命三郎，然而許多中國人認為自己比西方人更關心子女，更願意為子女犧牲，不像西方父母那樣安於讓子女犯錯。我覺得那是雙方的誤解。所有好父母都想做對子女最有利的事，只是中國人對怎麼做有不同的觀念罷了。

西方父母盡量尊重子女的個體性，鼓勵孩子追求他們真正感興趣的事，提供正面的支持和培育的環境。反之，中國人認為保護子女的上上之策，就是讓他們為未來做好準備，讓他們看清楚自己能做什麼，讓他們具備技能、好習慣，以及自信，因為這些是別人拿不走的。

♥露露和惡劣的我在旅館房間裡（樂譜貼在電視機上）

12. 裝飾奏

　　露露嘆了一口氣。我去學校接兩個女兒放學，正在開車回家的路上而且情緒欠佳，因為蘇菲亞剛才提醒我，中世紀節快要到了，而我對私立學校最「感冒」的地方，就在於這些他們最擅長的節日和活動。私立學校不是讓學生從課本上學習，而是經常舉辦看來生動有趣的學習活動，增加家長的額外負擔。

　　之前為了露露的「世界護照」活動，我得準備一道厄瓜多菜（用碾碎的胭脂籽燉四小時雞肉，搭配炸車前草），帶一件厄瓜多的藝品（我給她帶的其實是玻利維亞的雕刻駱馬，不過沒人看得出）參加，而且還得有一個道道地地的厄瓜多人讓露

露訪問（我好不容易找到的一個厄瓜多留學生）。露露要做的就只是製作一份護照（一張紙折為四，上面寫著「護照」），然後在國際食物節上亮相就好。這個活動上有一百多國的菜餚，每一道都是由家長烹調的。

可是這跟中世紀節比起來實在是小菜一道，因為中世紀節可說是六年級的重頭戲。每個學生都得為這個活動準備一件自製的中世紀服裝，不能偷偷去店裡租來或是看起來太貴氣，而且他們每個人都必須帶一道用真正中世紀方式烹調的中世紀餐點。最後，每個學生還得建造一個中世紀的住所。

所以那天我的脾氣浮燥，正在傷腦筋要雇用哪一個建築師，還要確保對方不是另一個學生的家長。這時露露又嘆了更深的一口氣。

「我朋友瑪雅好幸運，」她帶著巴望的口氣說：「她有好多寵物。有兩隻鸚鵡、一隻狗，還有一隻金魚。」

我沒有搭腔，因為以前已經有過太多次這種經驗了。

「還有兩隻天竺鼠。」

「那說不定就是她為什麼還在學小提琴第一冊的原因，」我說：「因為她照顧寵物太忙了。」

「我希望我有一個寵物。」

「你已經有一個寵物了，」我不耐煩的說：「小提琴就是你的寵物。」

我這個人從來不太喜歡動物，小時候也沒有養過寵物。我沒有做過嚴謹的實證調查，不過我猜想大部分在美國的中國移民家庭是不養寵物的。中國家長忙著反對子女飼養寵物都來不及了，再說他們通常錢很緊（我老爸穿同一雙鞋上班八年），所以養寵物是奢侈的事。還有，中國人對動物的態度與西方人不同，尤其是對狗。

西方國家向來視狗為忠實夥伴，但是在中國，狗卻是盤中飧。這一點說起來挺教人難過的，感覺好像在破壞中國人的名譽，然而很遺憾，這卻是如假包換的事實。狗肉，尤其是小狗仔的肉，在中國被視為一道佳餚，在韓國更是如此。我自己從未吃過狗肉，我也愛萊西，而伍德隆（Caddie Woodlawn）筆下那隻聰明又忠心的狗尼洛（從波士頓一路找回威斯康辛州），更是我最喜愛的文學角色。然而愛狗和養狗是兩回事，而且我壓根兒沒想到過在家裡養一隻狗。我就是不懂為什麼要養狗。

同時，我和露露的小提琴練得愈來愈痛苦。「不要一直在我旁邊轉來轉去，」她會說：「你讓我想到佛地魔（按：《哈利波特》裡最可怕的人物）。你靠得我那麼近，我沒辦法拉

琴。」

我和西方家長不同，孩子把我聯想到佛地魔並不會讓感到不悅。我只是設法讓自己專注。「幫我做一件小事，露露，」我會通情達理地說：「一件小事就好：這一行再拉一次，不過這一次要讓顫音非常平均，而且務必要平滑的從第一把位轉移到第三把位。記得要拉全弓，因為這裡是特強，弓根的速度要快一點。還有，別忘了右手拇指要彎，左小指要彎。來——拉吧。」

可是我要露露做的事，她一件也不做。等我發脾氣了，她就會說：「你說什麼？你剛才要我做什麼？」

有時候我在下達指令，露露就大聲撥她的琴絃，有如在撥班鳩琴一般。有時候更惡劣，她會像甩套索似的轉她的小提琴，直到我嚇得大叫為止。我要她姿勢要挺、小提琴抬高，她有時候乾脆倒在地上，吐出舌頭裝死。還有她最常說的話就是：「練完了沒？」

可是有的時候露露看起來又好像很喜歡小提琴。我們練琴結束後，她有時候會一個人繼續拉，渾然忘了時間，屋子裡洋溢著美妙的琴聲。她會要求帶小提琴去上學，在班上演奏後興奮地回到家，雙頰通紅。不然就是我在電腦前，而她跑過來

說：「媽咪，你猜我最喜歡巴哈哪一個部分！」我會試著去猜，正確率約達七成，然後她就會說：「你怎麼**知道**？」或是「不對，是**這個**部分——聽起來很美，對不對？」

　　要不是有這些時刻，我可能早已放棄。說不定也不會。不論如何，就像對蘇菲亞的鋼琴演奏一樣，我對露露和小提琴抱持最大的希望。我要她在大紐哈芬協奏曲比賽中奪冠，這樣她也可以在巴泰爾教堂獨奏。我要她成為青年管絃樂團裡的首席小提琴手，成為初學者裡的頂尖好手。我知道唯有這樣，露露才會開心，所以露露浪費的時間愈多——跟我拌嘴、練琴不專心、開玩笑什麼的，我逼她練習的時間就愈久。「我們要把這首曲子拉到正確為止，」我會對她說：「花再久時間我都不管，所以練習時間是長是短由你決定。必要的話，我們可以在這裡耗到三更半夜。」有時候我們還真的練到半夜。

　　「我朋友丹妮拉聽到我練琴時間這麼長，嚇了一大跳。」一天下午露露說：「她不敢相信。我跟她說一天要練琴六小時，然後她就——」說到這裡露露張開嘴巴模仿丹妮拉的表情。

　　「你不該說六小時的，露露，這樣她會誤會的，因為只有在你混了五小時之後，才會練琴六小時。」

　　露露並不理會我的說法。「丹妮拉覺得我好可憐。她問我什麼時候才有時間做別的事情，我告訴她我才沒有時間玩，因為我是中國人。」

　　我保持沉默，不發一語。露露總是在集結同盟，引領她的大軍，可是我才不上當。在美國，大家總是站在她那邊，可是我不會讓她的同儕壓力影響我。有少數幾次我受了影響，後來懊悔不已。

　　就像有一次我破例讓蘇菲亞去住別人家。小時候，我媽總是說：「為什麼要去住別人家？自己家有什麼不好？」當了媽媽以後，我也採取同樣的立場，可是這一次蘇菲亞對我求了又求，而我一時心軟（很不像我）便妥協了。第二天早上她回來的時候，不但累到不行（琴都彈不好），而且心情也很差。在外過夜的聚會對大多數孩子來說，毫無樂趣可言，而那就是家長的姑息放縱在無意中對子女造成的懲罰。追問了半天我才知道，原來是甲、乙、丙聯合起來排擠丁，而乙又趁戊在另一個房間時，背地說她的壞話；十二歲的己則徹夜大談她在性事上的英勇事績。蘇菲亞不需要接觸西方社會最不好的一面，所以我不會再被「兒童需要探索」或是「他們需要犯錯」之類的陳腔濫調引入歧途。

中國人做很多事情的方式和西方人不同，加分題就是一個例子。有一次露露放學回家後告訴我她剛考了數學，因為覺得自己考得非常好，所以不覺得有做加分題的必要。

我無言以對，因為聽不懂她的話。「為什麼不做？」我問：「你為什麼不做？」

「我不想錯過下課時間。」

中國人有一個重要的原則，就是永遠要做加分題。

我對露露說明之後，她問：「為什麼？」

對我來說，這個問題就像在問我為什麼應該呼吸一樣。

「我的朋友沒有人做加分題的。」露露加了一句。

「不對，」我說：「我百分之百確定艾咪和朱諾有做加分題。」艾咪和朱諾是露露班上的亞洲學生，露露也承認我說得沒錯。

「可是拉莎和伊恩也做了加分題，他們可不是亞洲人。」她又說。

「啊哈！這麼說起來你有很多朋友都**做**了加分題嘛！我並不是說只有亞洲人做加分題唷。任何一個有好父母的人都知道必須做加分題。露露，你讓我很錯愕。這下子老師對你會有什麼看法？你想要**下課**而不做**加分題**？」我的眼淚差一點掉下

來：「加分題並不是**加**分，它就是**分數**，好學生和壞學生的區別就在這裡。」

露露揮出最後一擊：「唉呀──下課才好玩。」可是那次以後，露露一定都會做加分題，和蘇菲亞一樣。有時候兩個女兒的加分題分數比考試成績還好，這種離譜的事情絕對不會發生在中國。加分題是亞洲學生在美國拿到出奇高分的一個原因。

機械式練習是另一個例子。有一次蘇菲亞乘法演算競速的成績名列第二，輸給一個叫作允錫的韓國男孩。這個考試每星期五都要考一次。接下來那個星期，我每天晚上讓蘇菲亞做二十次練習，每次一百題。我用碼表計算她答題的時間。之後她的成績每次都是班上第一，可憐的允錫。他後來和家人返回韓國，不過有可能不是因為考試的關係。

練習時間比別人多，是一流學校裡亞洲學生人數最多的原因，而這也是露露每星期六都讓舒加老師刮目相看的原因。「你學得這麼快，」他經常說：「以後會成為一位了不起的小提琴手喔。」

二○○五年秋，露露九歲的時候，舒加老師說：「露露，我覺得你已經可以拉協奏曲了。我們先暫停鈴木的琴譜，你

覺得怎麼樣？」他要她學習韋奧第第二十三號G大調協奏曲。「露露，只要你很認真練，我敢說你在冬季的演奏會上就可以拉第一樂章了。唯一的問題就在於，」他若有所思的說：「第一樂章裡面有一個很難的裝飾奏樂段。」舒加老師很狡猾，因為他了解露露。裝飾奏是特殊的樂段，通常位於協奏曲樂章的末尾，獨奏的小提琴手是在無伴奏的情況下演奏的。「這算是一個炫技的機會，」舒加老師說：「可是又長又難，你這個年齡的小孩大都演奏不來。」

露露一臉興致勃勃：「有多長呢？」

「裝飾奏嗎？」舒加老師說：「哦，非常的長，差不多有一頁。」

露露說：「我想我可以。」她滿懷信心，只要逼她的人不是我，她是很喜歡接受挑戰的。

我們就這麼投入韋奧第的曲子，而戰事也隨之升溫。「冷靜一點，媽咪，」露露氣沖沖地說：「你又開始歇斯底里、胡言亂語了。我們還有一個月可練習呢。」可是我冷靜不下來。韋奧第協奏曲相對來說雖然簡單，但對露露以前拉的曲子來說卻是向前邁進了一大步。裝飾奏都是速度很快的換絃動作，還有「雙音」和「三音和絃」，也就是同時按兩條絃或三條絃演

奏的樂音，相當於鋼琴的和音，很難拉得和諧。

我很希望露露能把這段裝飾奏演奏得很出色，這個念頭在我心中徘徊不去。韋奧第這首樂曲其他的部分都還好，有的地方還有一點呆板，不過舒加老師說得沒錯，這個裝飾奏讓整首曲子值得一聽。演奏會前一星期，我才明白露露拉的裝飾奏可以很有爆發力。她使樂曲的旋律近乎完美的飛揚，總之這對她來說就是一種本能，可是技巧的部分卻不夠精準，尤其是接近結尾的一連串雙音和換絃的轉折。練習時這些段落拉得時好時壞。當露露心情好而且精神集中時，可以掌握得住，可是心情不好或分心時，裝飾奏就拉得很差。最糟糕的是，我完全控制不了她的心情。

後來我靈光乍現。「露露，」我說：「我想跟你來個約定。」

「唉，又來了。」露露抱怨。

「這次是好事，露露，你一定會喜歡的。」

「什麼好事──練琴兩小時，我就不用舖桌子嗎？謝謝不必了，媽咪。」

「露露，聽聽看嘛。只要你下星期六把裝飾奏拉得很棒，比你到目前為止都拉得好，我就送你一樣你想都想不到的好東

西，是**我知道你一定會喜歡的東西。**」

露露一臉不屑：「你是說餅乾嗎？還是玩五分鐘電腦遊戲？」

我搖搖頭：「是棒得讓你無法拒絕的東西。」

「遊戲日嗎？」

我搖頭。

「巧克力？」

我再搖搖頭，這回換成是我一臉不屑了。「你以為我認為你抵抗不了巧克力的誘惑嗎？我對你的了解不止於此，露露。我已經想好一樣你永遠猜不到的東西。」

我說得沒錯，她絕對猜不到，或許因為就現存的事實來看，這件事是絕無可能發生的。

最後我揭曉：「是養寵物，養一隻狗。只要你下星期六把裝飾奏拉得很精采，我就買隻狗回來。」

露露這輩子頭一次看起來呆若木雞。「一隻……狗？」她重複我的話：「一隻活生生的狗？」她懷疑的加了一句。

「對，一隻小狗。你和蘇菲亞可以決定要養哪一種狗。」

哪知聰明反被聰明誤，我這個決定永遠改變了我們一家人的生活。

Battle
Hymn
of the Tiger
Mother

第二部

屬虎的人是永遠精神緊繃的急性子。

他們非常有自信,有時候還可能太過自信。

他們喜歡別人服從他們,而不是聽命於人。

肖虎者適合的工作包括

廣告經紀人、辦公室經理、旅行家、演員、

作家、飛行員、空服員、音樂工作者、

喜劇演員、司機。

Battle Hymn of the Tiger Mother

虎 媽 的 戰 歌

13. 可可

可可是我們家的狗，也是我這輩子頭一次養的寵物。傑德以前倒是養過寵物。他小時候家裡有一隻叫作弗利斯基的雜種狗，經常亂叫一通，所以惡鄰居便趁傑德全家外出度假時把牠弄死，至少傑德是這麼懷疑的。也說不定弗利斯基只是失蹤，後來被華府某個有愛心的家庭收養了。

理論上來說，可可也不是蘇菲亞和露露養的第一隻寵物。我們以前有過一次痛苦的經驗，還好為期短暫。她們兩個很小的時候，傑德買了兩隻兔子給她們，取名惠琪和托瑞。我對牠們的第一印象就很差，也不想和牠們有任何瓜葛，而且牠們一點都不聰明，跟店家說的完全是兩碼事。寵物店的人告訴傑德，牠們是侏儒兔，永遠長不大，很可愛。根本是騙人。不出幾星期，牠們就長得又大又肥，走起路來活像相撲選手，而且差一點就塞不進那六十公分乘九十公分的籠子。這兩隻兔子明明都是公的，卻還一直想跟對方交配，搞得傑德很尷尬，因為

兩個女兒頻頻追問：「爸爸，牠們在做什麼？」後來，那兩隻兔子莫名其妙的離家出走了。

可可是隻毛茸茸的白色薩摩耶犬，有兩隻深色的杏眼，和西伯利亞哈士奇犬差不多一樣大。薩摩耶犬最出名的就是牠們的笑臉和蓬鬆捲曲在背上的尾巴。可可就有這樣的笑臉，一身純白的毛也十分耀眼。不過不知道為什麼，可可的尾巴有點短，看起來不像羽毛，倒像一坨膨膨的毛球，可是無損於她的美麗。雖然沒有科學證據，但是據說薩摩耶犬是狼的後代，只是個性上截然不同。牠們可愛、溫和、友善、忠誠，因此不適合當看門狗。這種狗原是西伯利亞品種，白天拉雪橇，晚上睡在主人身上為主人保暖，而可可在冬天會用同樣的方式幫我們保暖。薩摩耶犬另一個優點就是沒有臭味。可可聞起來就像是一件乾淨的皮草外套。

可可是二〇〇六年一月二十六日出生的，是同一窩小狗中最小的一隻，膽小如鼠。她三個月大時被我們抱回家，看起來就像一團會發抖的白色毛球。（薩摩耶幼犬看起來就像小北極熊一樣，沒有比牠們更可愛的東西了。）在坐車回家的路上，她窩在板條箱的角落一直瑟瑟發抖，到家以後，更是害怕得什麼也不敢吃。一直到今天，她的體型還比大部分薩摩耶犬小約

百分之十。她也怕打雷、怕我們生氣時的大吼、怕貓和兇巴巴的小狗，而且始終不敢從我們家後面那道窄梯走下去。換句話說，可可一點領袖氣質都沒有。

然而，對養狗一竅不通的我，本能的套用中國人教養的方式來對待可可。我聽說有的狗會數數和做哈姆立克急救法（氣道異物梗塞的急救）。店家還告訴我們薩摩耶犬非常聰明，而我也聽說過許多薩摩耶犬的英勇事蹟。探險家南森（Fridtjof Nansen）一八九五年嘗試抵達北極的著名探險，就是由薩摩耶犬凱發斯和沙津擔任領隊狗。一九一一年，第一支探險隊成功抵達南極，領隊狗也是薩摩耶犬。可可的動作快得出奇，又很靈巧，我看得出來她真的大有潛力。傑德婉轉的指出可可缺乏那種「期望自己更好」的個性，而且養寵物未必需要把牠們訓練到最高層次，可是他愈是這麼說，我愈是認為可可有不為人知的才能。

我開始多方面研究，買了許多書，新精舍僧侶群（The Monks of New Skete）寫的《飼養小狗的藝術》（*The Art of Raising a Puppy*）是我最喜歡的一本。我和社區其他狗主人交朋友，得到不少有用的資訊，比如哪兒有狗公園，哪裡在辦狗狗活動。我還發現有一個地方提供「小狗幼稚園」課程，這是

上進階課程的先決條件，於是便去報名。

　　這個課程首先是基本訓練，像是在室內的定點大小便。這個訓練比我預期的要難多了。事實上，這一訓練就是好幾個月。有一天我們終於嚐到成功的果實，可可跑到門邊做出了訊號，這簡直是個奇蹟。

　　大約就在這段期間，家裡其他人對訓練一事露出了疲態。傑德、蘇菲亞、露露好像覺得可可受的訓練足夠了，儘管她唯一的本事就只是不再在地毯上大小便。他們只想要抱可可、寶貝她，在院子裡跟她玩而已。看到我那不可置信的表情後，傑德提醒我，可可還會坐下和撿東西，而且是玩飛盤的高手。

　　可惜的是，可可會做的就只有這些。她對「來」的指令完全沒有反應。更糟的是，除非「不可以」的指令是傑德下的（因為傑德一開如就表現出強勢，是家裡最權威的男子），否則可可對這個指令也毫無反應。這代表她會肆無忌憚的咬鉛筆、DVD，以及我所有最好的鞋。每次我們請客時，她就在廚房裝睡，等開胃菜一端上桌，她就咻地衝進客廳，抓下一整個法式肉派，然後繞圈子狂奔，而派就在她啪嗒啪嗒的咀嚼聲中變得愈來愈小。她的速度實在是太快了，根本沒人抓得住她。

　　可可也不肯好好走路，她只會用最快的速度衝刺。這對我

來說是個很大的問題，因為負責遛狗的人是我，而我是以每小時八十公里的速度被拖著走的，常常會筆直撞上樹幹（當她在追松鼠時），或是別家的垃圾桶（當她在追松鼠時）。我跟家人訴苦，可是他們全都一副事不關己的樣子。「我沒有空⋯⋯我要練鋼琴。」蘇菲亞咕噥說。「她為什麼需要散步？」露露問。

有一次我「散步」回來後，雙肘擦破皮，雙膝有草汙，可是傑德說：「這是薩摩耶犬的天性。她以為你是雪橇，所以要拖著你走。別妄想教她走路了，乾脆去買一輛四輪車，這樣你就可以讓可可拖著你四處遊走，如何？」

可是我並不想成為社區戰車的駕駛，而且我也不想放棄訓練可可。如果別人家的狗都能好好走路，我們家的狗為什麼不能？所以我獨自接受這個挑戰，照著書上所說，帶可可在車道上轉圈子，只要她不拖我走，就賞她一點切碎的牛排；她不聽話，我就發出低沉兇惡的聲音。可是這一來光是帶她走半條街就不知要花多少時間，因為每次皮帶拉緊我就得停下來數到三十。最後，在所有的嘗試均告失敗之後，我聽從一位薩摩耶犬飼主的建議，去買了一副精緻的防暴衝胸背帶，只要可可往前衝就會束縛住她的胸部。

在我積極訓練可可期間，有一天我兩位迷人的朋友艾力克

斯和喬丹從波士頓來我家玩，帶著他們優雅的黑貂色狗蜜莉與
巴莎。這對姊妹是澳洲牧羊犬，和可可同齡，可是體型較小，
毛色油亮，而且機靈得不得了。牠們不愧為牧羊犬，看到可可
就一搭一檔的想要「牧」她。可可不但看起來是有點像綿羊，
而且在蜜莉與巴莎身邊繞來繞去的，行為舉止也像隻羊。蜜莉
與巴莎無時無刻不在找機會表現，牠們會做像開門、打開義大
利麵盒子之類的事，而這些都是可可永遠做不來的。

　　「哇，」那天晚上在喝酒閒聊的時候，我對艾力克斯說：
「蜜莉和巴莎會自己打開我們家花園的水龍頭喝水，真是不敢
相信，太厲害了。」

　　「澳洲牧羊犬和邊境牧羊犬一樣，」艾力克斯說：「可能
因為牠們有牧羊的背景，所以應該真的很聰明才對。至少根據
網路排行榜來說是如此，不過我不太相信就是了。」

　　「排名？什麼排名？」我又幫自己倒了一杯葡萄酒：「那
薩摩耶犬排名第幾？」

　　「噢……我不記得了，」艾力克斯不太自在的說：「反正我
覺得用智商來幫狗做排名太無聊了，我是不會在意這種事的。」

　　等艾力克斯和喬丹一走，我立刻衝向電腦，在網路上搜
尋「狗智商排行榜」。最多人點擊的是「最聰明的狗狗前十大

排行榜」，出自加拿大卑詩大學神經心理學者柯倫（Stanley Coren）博士。我把螢幕往下拉，瘋狂的尋找「薩摩耶犬」，可是沒有看見，不過我找到一張加長的排行榜，薩摩耶在七十九個排名中列在第三十三，還不算最笨（這個榮耀歸於阿富汗獵犬），但是智商絕對只能說是普通。

　　這真讓我不舒服。深入研究一番之後，發現原來有誤，於是大大鬆了一口氣。根據薩摩耶犬專家在相關網站上的說法，薩摩耶犬其實非常聰明，牠們做狗智商測驗往往不易有好成績，那是因為那些測驗全是依據「可訓練性」做的，而薩摩耶犬卻是出了名的難以訓練。為什麼會這樣？確切來說是因為牠們**非常聰明**，因此很固執。瓊斯（Michael D. Jones）說得很明白：

　　牠們的智商與非常獨立的天性使得訓練牠們成為一項挑戰；舉例來說，黃金獵犬是為主人工作，但是薩摩耶犬則是和主人一起工作，否則就不做。尊重薩摩耶犬是訓練牠們的必要條件。牠們學習的速度很快，而要訣就在於教薩摩耶犬守規矩，但又不致讓牠打哈欠。就是這些特點讓薩摩耶犬得到……「非傳統服從的狗」之稱號。

　　我還有其他的發現。北極探險功敗垂成的著名挪威探險家南森（也是諾貝爾和平獎得主），在一八九五年展開北極探險之前，對狗做了一番廣泛的研究。他的結論是「就毅力、專注力、耐力以及工作的本能驅動力而言，薩摩耶犬皆優於其他品種的狗」。

　　換句話說，和柯倫的研究相反，薩摩耶犬事實上異常聰明，工作也非常勤奮，而且比其他品種的狗更能夠聚精會神、有毅力。我的士氣飆升。對我來說這些特質是完美的結合。如果唯一的問題在於固執、不服從，那就難不倒我。

　　一天晚上，我和兩個女兒因為練琴的事情對吼了一陣之後，又和傑德吵了一架。他一向在各方面都支持我，但是他擔心我逼得太緊，使家裡的氣壓太低，沒有喘息的餘地。可是我反過來罵他自私，只想到自己。「你只想到寫你自己的書和你自己的未來，」我咄咄逼人：「你對蘇菲亞或對露露有過什麼夢想沒有？你從來就沒想過是吧？你對可可的夢想又是什麼？」

　　傑德臉上出現了奇怪的表情，不一會兒便縱聲大笑，然後走過來在我的頭頂上親吻一下。「對可可的夢想——還真是好笑，美兒。」他深情款款的說：「別擔心，我們會想出辦法的。」

　　我不懂這有什麼好笑的，不過我很高興這場爭吵結束了。

14. 倫敦，雅典 巴塞隆納，孟買

　　我想我這個人有一點愛說教。和許多愛說教的人一樣，我有幾個喜歡的主題會翻來覆去的說。舉例來說，我有個「反地方主義」演說系列，而且光是想到這個題目，就會讓我冒火。

　　只要一聽到蘇菲亞或露露對一個外國的名字吃吃笑，不論是Freek de Groot或Kwok Gum，我就會抓狂。「你們知道這樣子有多無知嗎？簡直是沒見過世面！」我會對她們大發脾氣：「Jasminder還有Parminder在印度是很普通的名字。虧你們還是這個家裡的人！真是丟人。我外公的名字叫作吳雅映（Wu Yah Yang）──你們覺得好笑嗎？我該幫你們取那樣的名字才對。絕對不可以以名字取人。」

　　我認為我的女兒還不至於會取笑別人講話的外國口音，可是若非我阻止在先，說不定她們真會這麼做。小孩子有時候也可能非常冷血無情。「千萬不可以取笑別人說英語有外國腔，」我多次給她們機會教育：「你們知道什麼是外國口音

嗎？那是一種勇敢的標識，因為那些人是飄洋過海來到這個國家的。外公外婆都有口音，我也有口音。我還不會說半句英語時就被丟進托兒所，一直到三年級還有同學取笑我。你們知道那些人現在在哪裡嗎？在當門房，那就是他們的下場。」

「你怎麼知道？」蘇菲亞問。

「蘇菲亞，我覺得更重要的是你要問自己，假如是你搬到中國去的話，會是什麼情形？你覺得你說中國話會有多字正腔圓？我不希望你成為眼界狹窄的美國人。中國大陸的中國人在瘦了三千年之後，轉眼之間也胖了起來，因為他們現在也吃肯德基炸雞。」

「等一下，」蘇菲亞說：「你不是說你小的時候胖到穿不下成衣，所以外婆得自己幫你做衣服嗎？」

「沒錯。」

「你那麼胖是因為你吃外婆煮的麵和水餃，每次都吃得很撐，」蘇菲亞繼續說：「你不是有一次吃掉四十五個**燒賣**嗎？」

「沒錯，」我回答：「我爸爸覺得我非常厲害，因為我還比他多吃了十個。我吃的是妹妹美夏的三倍，她就瘦巴巴的。」

「所以中國食物也可以把你養得胖嘟嘟的啊。」蘇菲亞強調。

或許是我的邏輯不夠嚴謹，不過我想要強調的是一個觀點。我重視的是世界觀，而且為了讓兩個女兒接觸不同的文化，我和傑德不管去哪裡旅行總是帶著她們同行，即便為了縮減開銷而必須一家四口擠在一張床上（在她們小時候）。所以蘇菲亞十二歲、露露九歲時，已經去過倫敦、巴黎、尼斯、羅馬、威尼斯、米蘭、阿姆斯特丹、海牙、巴塞隆納、馬德里、馬拉加、列支敦斯登、摩納哥、慕尼黑、都柏林、布魯塞爾、布魯日、史特拉斯堡、北京、上海、東京、香港、馬尼拉、伊斯坦堡、墨西哥市、坎宮（墨西哥）、布宜諾斯艾利斯、聖地牙哥、里約熱內盧、聖保羅、拉巴斯（玻利維亞）、蘇克雷（法國）、科嘉邦巴（玻利維亞）、牙買加、坦吉爾（摩洛哥）、費斯（摩洛哥）、約翰尼斯堡、開普敦，以及直布羅陀巨巖。

我們一家四口終年渴望外出度假，而且常常會安排在我父母和小妹美音出國旅行時同行，七個人乘坐一輛租來的大車，由傑德開車。一群人吱吱咯咯的笑到旁人對我們行注目禮，想搞清楚我們這個奇怪的種族組合。（傑德是亞洲家庭領養的兒

子？或他是走私人口販子，要把我們這群人賣去當奴隸？）蘇菲亞和露露很喜歡外公外婆，而他們也對這兩個小女孩溺愛到離譜的地步，跟當年對我的嚴格教養可說是天壤之別。

兩個女兒對外公尤其著迷，因為他和她們認識的人大不相同。他時常會忽然沒入巷弄間，不見人影，一會兒後抱了一大堆當地吃食回來，像是上海的小籠湯包或是尼斯的煎餅。（老爸總是每樣東西都想嚐嚐看，所以在西餐廳用餐時常常會點兩道主菜。）我們什麼奇怪的狀況都遭遇過，比如有一次車子開到山路頂端發現沒油了，還有一次我們和摩洛哥走私者同坐一節車廂。所有那些很棒的探險經驗，都成了我們珍藏的回憶。

旅行唯一的問題是：練琴。

在家的時候，兩個女兒的鋼琴和小提琴練習從無一日間斷，過生日固然不能豁免，就算是生病或剛動過牙科手術，吃完藥還是照練不誤，所以我看不出有什麼理由旅行時就可以不練琴。儘管我的父母不贊成。「這太過分了，」他們搖頭說：「就讓兩個孩子好好度個假嘛，幾天不練琴也沒有什麼大不了的。」可是認真的樂手可不是這麼想的。套句舒加老師的話：「一天不練琴，琴藝就會退步。」而且，就像我對兩個女兒說的：「你們知道我們去度假時，金家兄弟在做什麼嗎？練琴。

他們可沒有去度假喔。所以我們要讓他們領先嗎？」

以露露來說，帶著樂器是小事一樁。小提琴是露露坐飛機時的隨身行李，放在座位上方的行李箱剛剛好。可是蘇菲亞的問題就複雜多了。如果我們是在美國旅行，只消打幾通長途電話，問題就解決了，因為美國的大飯店多的是鋼琴。一般來說大廳的酒吧就有一架，幾個會議接待廳裡至少還有兩架。我只要在事前打電話到服務台，向芝加哥萬豪酒店的大宴會廳訂下早上六點到八點的時段，或是向帕沙狄那朗廷酒店溫沃斯廳訂晚上十點到半夜就好了。偶爾也有出狀況的時候。在茂宜島的瓦雷阿飯店幫蘇菲亞安排的是火山酒吧裡的一台電子琴，但是琴鍵不夠多，要彈蕭邦的升C小調波蘭舞曲還差兩個八度，而且旁邊還有一個撞球課程同時在進行，讓人無法專心，所以蘇菲亞後來改在地下室的一間貯藏室練琴，因為酒店的小型平臺鋼琴剛好在這裡維修。

出國旅行要幫蘇菲亞找鋼琴更加困難，通常得發揮一點創意才行。在所有城市之中，在倫敦找鋼琴可說難上加難。我們要在那裡待四天，因為傑德的書《謀殺的解析》（*The Interpretation of Murder*）得獎，要在那裡領獎。這本書是根據一九〇九年佛洛依德畢生唯一的訪美之行而寫的歷史驚悚小

說，蟬聯英國暢銷書排行榜冠軍好一陣子，所以他受到名流般的待遇，然而這對我找鋼琴的需求一點幫助也沒有。出版社招待我們住的是精品旅館雀喜酒店，當我向服務台詢問可不可以在他們的圖書室找個時間練琴時，櫃台小姐一臉驚恐，彷彿我在要求把旅館改成寮國難民營。

「**圖書室**？天哪，不行，恐怕不行。」

那天後來顯然有一名服務生向主管報告，說露露在我們房間裡練小提琴，於是露露就被制止了。幸而我在網路上找到，倫敦有個地方可以用很便宜的鐘點費租用琴房。於是傑德每天接受電台和電視訪問之際，我就和兩個女兒搭巴士到那家擠在兩家中東三明治店之間、狀似殯儀館的店，練習九十分鐘，然後再搭巴士回旅館。

我們在所到之處都做這樣的事。在比利時的魯汶，我們在一處以前是修道院的地方練琴；記不得是在哪個城市裡，我找到一家西班牙餐廳，蘇菲亞可以在下午三點到五點練琴，這時所有的服務生都在擦地板，擺放晚餐用的餐具。偶爾傑德會氣我把度假搞得緊張兮兮。他會諷刺的說：「今天下午我們是要去參觀羅馬競技場，還是再去那家鋼琴店呢？」

蘇菲亞也生我的氣。她討厭我告訴旅館的人說她是「音樂

會鋼琴演奏家」（concert pianist）。「別那樣說好不好，媽咪！我又不是，那樣說很糗耶。」

我完全不認同。「你本來就是鋼琴演奏家啊，蘇菲亞，你也在很多場音樂會演出過，所以當然就是『音樂會鋼琴演奏家』。」

到後來，我和露露常常陷入愈演愈烈的冗長爭執，浪費了許多時間，常常不是錯過了博物館開放的時間，就是不得不取消餐廳的訂位。

但這一切都是值得的。我們每次回到紐哈芬之後，蘇菲亞和露露不在家這段時間琴藝的進步，總是令她們的音樂老師嘖嘖稱奇。我們去西安時，我讓蘇菲亞在曙光初現時練琴兩小時，然後才放大家去看秦始皇下令製作的八千個真人大小的兵馬俑。西安之行結束後不久，蘇菲亞在她第二次參加的協奏曲大賽中摘冠，這次她演奏的是莫札特的降B大調第十五號鋼琴協奏曲。同時，露露受邀在各種三重奏和四重奏中擔任第一小提琴手，而我們倏忽之間發現自己成為許多小提琴老師爭取的對象，因為他們總是在找尋資質過人的小朋友。

可是即便是我也必須承認，這件事有時候行之不易。記得有一次我們和我爸媽去希臘度假，參觀完雅典（我們設法在衛

城和海神廟之間塞進一點點練琴的時間）之後，搭小飛機到克里特島，下午三點左右到達要住的民宿。我爸立刻想要出發，因為他迫不及待想讓兩個小女孩看克諾索斯皇宮。根據傳說，米諾斯國王把牛頭人身怪物米諾陶關在一座地下迷宮。

「好啊，爸爸。」我說：「可是我和露露要先練十分鐘。」

每一個人聞言莫不驚慌的互使眼色。我媽建議：「吃過晚飯再練吧？」

「不行，媽，」我堅定的說：「露露答應過今天要先練琴的，因為她昨天想要早一點結束。可是只要她合作的話，真的只要十分鐘就好。我們今天會節制一點。」

後來大家受的罪實非我所願：傑德、蘇菲亞、露露、還有我關在一間密閉的房間裡，傑德躺在床罩上面，臉色凝重的設法專心讀一份舊的《國際前鋒論壇報》；蘇菲亞躲在浴室裡看書；我爸媽在大廳裡等待，不敢前來干涉，又怕其他住客會聽到我和露露互相責怪對方的大吼大叫。「露露，這個音還是降音。」「事實上那是升音，媽咪，你根本就不懂。」顯然，十分鐘後我不能讓練習結束，因為露露連一個音階都不肯好好練習。練習結束時，怒氣沖沖的露露臉上淚痕斑斑，傑德不發一

語，爸媽昏昏欲睡，而克諾索斯皇宮則已經打烊。

我不知道兩個女兒二十年後回看這些事情會有什麼想法，她們會不會告訴兒女：「我媽是個控制狂，連在印度也要逼我們練琴，然後才能去參觀孟買和新德里」？或是她們的回憶裡也有溫柔的一面？也許露露會想到在印度北部的阿格拉，她站在旅館拱型的窗前（望出去就是泰姬瑪哈陵），把布魯赫小提琴協奏曲的第一樂章拉得那麼美；我們那天沒有爭執——也許是因為時差的關係吧。蘇菲亞會不會記得在巴塞隆納的那個心酸時刻，我伸手打了她一下，因為她的手指頭彈得不夠高？如果她記得這件事的話，希望她也會記得在法國那個位於山崖上的村莊羅克布倫，我們下榻的旅店經理聽到她的琴聲後，邀請她當天晚上在餐廳為大家演奏。在那間透過玻璃窗可眺望地中海的房間裡，蘇菲亞彈奏孟德爾頌的隨想輪旋曲，獲得了所有賓客的滿堂采和擁抱。

Battle Hymn of the Tiger Mother

虎 媽 的 戰 歌

♥佛蘿倫絲

15. **婆婆**

　　二〇〇六年一月，我的婆婆佛蘿倫絲從她在曼哈頓的公寓打電話來。「我剛接到診所打來的電話，」她的聲音怪怪的，還帶著些許惱怒：「這一次他們告訴我，我得了急性白血病。」就在兩個月前，佛蘿倫絲才診斷出罹患早期乳癌，個性堅毅的她接受了手術和放射線治療，沒半句怨言。我最近才聽說她一切無恙，已重返紐約藝文界，並考慮寫第二本書。

　　我的胃揪緊。佛蘿倫絲看起來只有六十歲，其實已經快要七十五歲了。「他們搞錯了吧，佛蘿倫絲，一定是搞錯了。」我大聲說，有點不知所措：「我去叫傑德聽電話，他會搞清楚

這是怎麼回事。別擔心,不會有事的。」

可是情況不妙。在那通電話之後一星期,佛蘿倫絲住進紐約長老教會醫院開始接受化療。傑德痛苦的研究了數小時,除了第二意見,再徵詢第三、第四位醫師,最後協助佛蘿倫絲選擇了一種比較不會讓她那麼難受的氧化砷療法。佛蘿倫絲對傑德向來言聽計從。她很喜歡跟蘇菲亞和露露說,她懷傑德時,早產了一個月,而她從傑德一出生就愛死他了。「他有黃疸,全身都黃黃的,滿臉皺紋,看起來就像個小老頭。」每次說到這裡她都會大笑,「可是我覺得他漂亮極了。」傑德和他媽媽有很多共同點,包括審美觀和判斷正確比例的眼光。人人都說他是媽媽的翻版,而這向來都是一種讚美。

我婆婆年輕時美艷動人。她在大學畢業紀念冊裡的照片,看起來就像電影明星麗泰・海華斯(Rita Hayworth)。即便到了五十歲(我第一次見到她時,她就是這個年紀),她還是宴會裡眾所矚目的焦點。她慧黠迷人,也勇於表達自己的觀點,所以你絕對知道她覺得哪件衣服邋遢俗氣,哪些菜太油膩,哪些人太過熱心。有一次我穿了一套新的套裝下樓,佛蘿倫絲的臉龐為之一亮。「你看起來出色極了,美兒。你最近真是愈來愈會打扮自己了。」讓我聽了十分窩心。

佛蘿倫絲是個與眾不同的人。她對稀奇古怪的東西著迷，總是說「漂亮」的東西真乏味。她的眼光奇佳，一九七〇年代投資一些當時還不怎麼出名的藝術家的作品，賺了些錢。這些藝術家包括亞尼森（Robert Arneson）和吉利恩（Sam Gilliam）在內，他們後來都被人發掘，而佛蘿倫絲買進的作品便隨之飆漲。佛蘿倫絲從來不羨慕任何人，而別人對她的眼紅，她也毫無所覺。她不在乎單身，也很珍惜自己的獨立，所以婉拒許多事業有成的富人求婚。雖然她喜歡時髦的衣服和畫廊開幕活動，但是天底下她最喜歡做的事卻是在水晶湖游泳（她小時候每個夏天都在那兒度過）、為老朋友做晚餐，以及，最最喜歡的，和兩個孫女在一起。而她們倆也應奶奶的要求，一直喊她「婆婆」。

　　佛蘿倫絲接受化療六星期之後，於三月病情緩解。這時候她的身體已不比從前（我還記得她靠在醫院白色枕頭上看起來是多麼瘦小，簡直就像縮小了四分之一），可是她的頭髮完全沒有脫落，胃口不錯，而且樂觀如昔。能夠出院令她欣喜若狂。

　　我和傑德知道病情緩解只是暫時的，因為醫師已一再警告我們，佛蘿倫絲的預後很不好。她的白血病是惡性的，所以幾

乎可以篤定六個月到一年之內會復發。由於她年事已高,所以沒有移植骨髓的可能;簡單的說,就是沒有痊癒的可能。可是佛蘿倫絲不了解自己的病,也不知道目前狀況多不樂觀。傑德有幾次試著說給她聽,可是她總是固守她一貫的遲鈍和樂觀,完全聽不進去。「喔,天哪——,等事情過去後,我得在健身房裡花多少時間哪,」她超乎現實的說:「我肌肉的線條全沒了。」

當務之急是必須決定要如何安置佛蘿倫絲。她是不可能一個人住的,因為她虛弱到無法走路,而且經常得輸血,再說她也沒有其他親人可以求助。她和前夫幾乎沒有任何聯繫,而女兒又住得很遠。

我提出了理所當然的解決辦法,就是讓佛蘿倫絲搬到紐哈芬跟我們同住。我小時候,年邁的外公外婆和我們同住在印第安納州,而我奶奶在芝加哥也是和叔叔同住,直到八十七歲去世為止。我一向認為只要有需要,我就會接爸媽來同住。這就是中國人的方式。

教我驚訝的是,傑德不願意。他對佛蘿倫絲的愛無庸置疑,然而他提醒我,我和佛蘿倫絲時常產生摩擦,會生她的氣;她和我對撫養孩子的觀念南轅北轍;我們兩人的個性都很

強；還有，佛蘿倫絲就算是人在病中，也不太可能把話悶在心裡不說。他要我想像一下，萬一我和露露像平常那樣發生火爆的爭吵，而佛蘿倫絲想為孫女撐腰的話，會是什麼情形。

傑德說得當然沒有錯。我和佛蘿倫絲有好幾年相處甚歡，她帶我認識當代美術的世界，而我也很喜歡陪她去參加博物館和畫廊的活動，可是蘇菲亞出生以後，我們就開始產生摩擦。事實上，就是和佛蘿倫絲處不好之後，我才開始意識到中國人和（至少一種）西方人的教養方式有些根深柢固的差異。最重要的是，佛蘿倫絲有品味，是藝術、美食、葡萄酒的行家，喜歡豪華的衣料和純巧克力。我們每次旅行回來，她總是會問兩個小女孩她們看到的顏色和聞到的氣味。佛蘿倫絲對另一件事具有絕對的品味，就是童年。她認為童年應該充滿了心血來潮、自由、發現，以及體驗。

在水晶湖畔，佛蘿倫絲覺得她的兩個孫女應該能夠隨心所欲的游泳、散步以及探索。反之，我告訴女兒，只要她們踏出我們家的前廊，綁匪就會把她們捉走。我也告訴她們，水晶湖的深處有兇惡的魚會咬人。或許我是說得太過火，然而有時候無憂無慮的意思就是粗心大意。有一次佛蘿倫絲在湖畔幫我們照顧孩子，我回到家卻發現兩歲的蘇菲亞獨自拿著一把跟她

一樣高的園藝剪刀，在外面跑來跑去。我火冒三丈的把剪刀拿走。「她正準備去剪一些野花來呢。」佛蘿倫絲一副很期盼的樣子。

其實是我自己不太會享受生活，這不是我拿手的事。我會做的是列出一大堆要做的事情，而且我討厭按摩和去加勒比海度假。佛蘿倫絲認為童年很短暫，理應好好享受才對，可是我視童年為訓練期，應該用於塑造個性和投資未來。佛蘿倫絲很想要和兩個小女孩各相處一整天，希望我答應。可是我從來沒有讓她們有一整天閒著的時候，因為她們兩個除了要寫功課、和家庭教師練習說中國話，還要練琴。

佛蘿倫絲對於叛逆心理以及在道德上左右兩難之類的事很有興趣，也喜歡探究心理情結。我和她一樣，只是用在我女兒身上是另一回事。「蘇菲亞非常嫉妒她剛出生的妹妹，」露露出生後不久，佛蘿倫絲有一次吃吃地笑說：「所以想把露露送回她來的地方。」

「她才沒有這麼想，」我大聲打斷她的話：「蘇菲亞愛她妹妹。」我覺得佛蘿倫絲是在找姊妹鬩牆的蛛絲馬跡，製造問題。西方國家有種精神疾病，但是這些疾病在亞洲並不存在。

因為我是中國人，所以幾乎從未和佛蘿倫絲有過正面衝

突。我在前面說「和佛蘿倫絲產生摩擦」指的是在她背後跟傑德批評抱怨。在佛蘿倫絲面前，我總是盡量遷就，並且對她提的許多建議假裝附和。所以傑德說得有理，尤其是，每有衝突時，他是首當其衝的那個。

可是這些都算不了什麼，因為佛蘿倫絲是傑德的母親。對中國人來說，事關父母，就沒有商量的餘地。父母就是父母，你的一切都歸功於他們（就算不是也一樣），所以你必須為他們付出一切（即便會毀了你的生活）。

四月初，傑德幫佛蘿倫絲辦理出院，把她帶到紐哈芬，揹她上我們家二樓。佛蘿倫絲滿心歡喜，彷彿我們現在是在度假中心。她住在客房，就在兩個女兒臥房的隔壁，從我們主臥房順著走道到底就是。我們請了一位護士幫她煮飯和照顧她，物理治療師則是經常來來去去。幾乎每天晚上，傑德、兩個女兒、還有我都和佛蘿倫絲一起吃晚餐，最初幾星期是在她房間吃，因為她沒有辦法下樓。有一次我邀請她的幾個朋友來，在她房間裡辦了一次美酒加乳酪的聚會。佛蘿倫絲看到我選的乳酪時大驚失色，立即要我去買另一種。我一點都沒有生氣，反而很高興佛蘿倫絲還是原來的她，而且兩個女兒也遺傳了這種好品味。我也記了下來哪種乳酪以後絕對不能再買。

　　我們雖然三不五時會經歷一些驚慌的時刻——傑德至少一星期必須兩次飛車送佛蘿倫絲去紐哈芬的醫院，但是佛蘿倫絲奇蹟般的在我們家復原了。她的胃口很好，而且體重迅速增加。五月三日她生日當天，我們全家出動上一家高級館子。我們的朋友亨利和瑪莉娜也參加了，他們不敢相信這就是六星期前在醫院裡看到的那個佛蘿倫絲。她穿著高領不對稱的三宅一生外套，又回復到那個充滿魅力的佛蘿倫絲，不見一絲病容。

　　短短幾天之後，五月七日，蘇菲亞在家裡行成年禮。那天早上，又發生了另一次危機，傑德把佛蘿倫絲送進醫院緊急輸血，然後及時趕回家。在八十位客人面前的佛蘿倫絲看起來容光煥發。儀式之後，在一片碧藍的天空下，大家取用點心。妝點著白色鬱金香的餐桌上有法國土司、草莓及廣東點心——這是蘇菲亞和婆婆兩個人決定的。傑德和我對於要花那麼多錢來表現簡單、低調，驚訝不已。

　　一星期後，佛蘿倫絲認為她的身體已經夠好了，只要有那位護士照顧，她便可以返回自己在紐約的公寓。五月二十一日她在自己家裡過世，顯然是因為中風，瞬間就奪走了她的性命。她原本還打算那天晚上出去小酌，完全不知道自己大限已到。

　　在葬禮上，蘇菲亞和露露朗讀自己寫的追悼辭。露露的悼

辭中有一段是這樣的：

　　婆婆上個月住在我們家，我有很多時間陪她，不論是一起吃午餐、和她玩牌，或只是聊天。我們有兩個晚上單獨在一起，當彼此的「保母」。她雖然因為病了，走路不太穩，但是她一點都不會讓我感到害怕。她是一個很堅強的人，我每次想到婆婆，就會想到她開開心心、笑呵呵的樣子。她永遠讓自己高高興興，看到她這樣，我也很高興。我知道我會很想念婆婆。

　　而蘇菲亞的追悼辭有這麼一段：

　　婆婆最喜歡智慧上有所啟發，想要滿滿的快樂——讓自己活在世上的每一分鐘都充滿活力、充滿想法。我想她做到了，一直到她生命的最後都是如此。我希望有一天我也能學會像她那樣。

　　聽到蘇菲亞和露露的悼辭，有幾件事情浮上我心頭。傑德和我遵行中國人的孝道把佛蘿倫絲接回家照顧，我認為我們做對了，兩個女兒也都看在眼裡。我也對蘇菲亞和露露會幫忙照

顧奶奶感到驕傲又欣慰。可是「永遠讓自己高高興興」與「想要滿滿的快樂」這些字句一直縈繞在我腦海，我很好奇，將來我若是生病，兩個女兒會不會帶我回她們的家，為我做同樣的事情——或者她們會不會選擇快樂與自由。

快樂難得占去我的思維。中國父母不會把住意力放在快樂上。這一點其實常令我擔心。看到女兒指尖的繭或鋼琴上的齒痕，有時候也會心生懷疑。

然而，當我環顧周遭那些破裂的家庭，那些兒女成年後無法忍受待在父母身邊，甚至不跟父母講話的家庭，就很難相信西方的教養方式在快樂這方面做得比較好。我看到太多老一輩西方父母神情黯淡的搖頭說：「期待子女回報註定會落空。不論你做了什麼，兒女長大以後就是會嫌棄你。」

反之，我認識不知多少亞洲的孩子，他們雖然承認父母嚴格得令人受不了，而且要求高到恐怖的程度，奇怪的是，他們還是很孝順父母，而且心懷感謝，全無怨恨之意。

我不太明白為什麼會如此。也許是他們被洗腦了，或者也有可能是斯德哥爾摩症候群（按：受害者對加害者產生認同、崇拜，甚至反過來幫助加害者的一種心理現象）。不過有一件事我可以確定，就是西方的兒童絕對不會比中國兒童更快樂。

16. 生日卡

　　每一個人都被蘇菲亞和露露在佛蘿倫絲葬禮上所說的悼辭感動。「要是佛蘿倫絲自己也能聽到有多好，」佛蘿倫絲的手帕交席薇亞在葬禮後難過的說：「沒有什麼事比這更能讓她開心了。」其他的朋友紛紛問，十三歲和十歲的孩子怎麼能如此貼切的描述佛蘿倫絲的個性。

　　這背後是有原因的。

　　事情發生在幾年前，當時兩個女兒還很小，大概一個七歲、一個四歲吧。那天是我生日，我們在一家普通的義大利餐廳過生日，因為傑德忘了訂比較像樣的餐廳。

　　傑德顯然覺得歉疚，所以努力炒熱氣氛。「媽咪的生日晚餐一定會非──常棒，對不對？你們每一個人都要給媽咪一點小驚喜，對不對？」

　　我正在把不新鮮的佛卡夏麵包浸在服務生剛端來的一小碟橄欖油裡時，露露在傑德的鼓勵下，把她的「驚喜」拿給我。

　　原來是一張卡片。說得準確一點，是一張歪七扭八、摺成兩半的紙。正面畫了一張開心的大臉，裡面的另一張笑臉上方用蠟筆潦草寫了幾個字：「媽咪，生日快樂！愛你的露露」。這張卡片最多花了露露二十秒。

　　我知道換成是傑德會怎麼做。他會說：「哇，真好──謝謝你啊，寶貝。」然後在露露的額頭上重重的親一下。然後他可能會說他不太餓，只要喝一碗湯就好，或者再想一下又說只要麵包和水就好，但是我們其他的人想吃什麼就盡量點。

　　可是我把卡片還給露露。「我不要這個，」我說：「我要一張好一點的，你用心好好畫的卡片。我有一個特別的盒子，專門放你和蘇菲亞送我的卡片，這張不能放在裡面。」

　　「什麼？」露露不敢相信的說。我看到豆大的汗開始從傑德的額頭上冒出來。

　　我重新抓起那張卡片，把它翻到背面，然後從我的皮包裡拿出一隻筆，潦草寫上：「生日快樂露露！哈哈！」再加上一張苦瓜臉。「如果我送你這張生日卡的話，你會喜歡嗎？可是我絕對不會這麼做。不會的──我會花好幾百塊請魔術師來表演，去租大大的滑梯。會幫你買好大的冰淇淋蛋糕，形狀像企鵝一樣，然後花掉一半的薪水去買可笑的貼紙和橡皮擦這些派

對用品，雖然小朋友隨手就丟掉了。我總是絞盡腦汁幫你辦最棒的慶生會！我這個媽媽應該得到更好的生日卡才對，所以我**拒收**。」我把卡片丟回去。

「我可以離開一下嗎？」蘇菲亞小聲的問：「我要去做一件事。」

「拿來給我看，蘇菲亞，拿過來。」

蘇菲亞惶恐的睜大眼睛，慢慢抽出她那張卡片。那張卡片比露露的大，是用進口美工紙做的，措辭比較熱情一點，但是內容一樣空洞。她畫了幾朵花，寫著「我愛你！祝世界上最棒的媽咪生日快樂！」

「還不錯，蘇菲亞，」我冷冷的說：「可是也不夠好。我在你這麼大的時候，會在媽媽的生日當天寫詩送她。我一大早就起床，把家裡打掃乾淨，做早餐給她吃，盡量想一些有創意的點子，然後做一些兌換券給她，上面寫著『免費洗車一次』。」

「我想要做得更好一點，可是你說我得練琴。」蘇菲亞氣惱的抗議。

「那你就應該早一點起床。」我回答。

那天晚上稍晚，我收到兩張花很多心思做的卡片，我十分

喜歡，一直收藏到現在。

事後不久，我轉述這件事給佛蘿倫絲聽。她詫異的大笑，可是我沒想到她並不反對我的做法。「也許我以前也該對我的孩子做類似的事情，」她若有所思的說：「只是總覺得必須開口要才有的東西就不值錢了。」

「我是覺得期望子女主動做對的事情，有點太理想化了。」我說：「再說，如果強迫他們做你想要的事，你就不必跟他們生氣啦。」

「可是他們會生你的氣。」佛蘿倫絲指出。

事隔多年，在葬禮的當天，我想起了這段談話。根據猶太律法，葬禮必須盡快舉行，最好在親人過世後的二十四小時以內。佛蘿倫絲走得太突然，以致傑德必須在一天之內安排下葬地點、邀到拉比主持儀式、安排殯儀館，並決定所有流程。一如往常，傑德快速有效的處理每一件事情，把哀傷藏在心裡，可是我感覺得出來他的身體在抖著，因為哀慟大到難以忍受。

那天早上我發現兩個女兒在房間裡抱在一起，兩人看起來驚慌失措，因為以前從來沒有一個跟她們如此親近的人離開人世，她們從來沒有參加過葬禮，而且婆婆一個星期前還在隔壁房間呵呵大笑。

我要她們各自寫一篇關於婆婆的短文，下午在告別式上唸出來。

　　「不要，拜託，媽咪，不要逼我。」蘇菲亞噙著淚說：「我真的不想寫。」

　　「我寫不出來，」露露抽抽答答的說：「你走開。」

　　「你們**一定要**寫，」我下令：「兩個人都要寫，婆婆會想要聽。」

　　蘇菲亞的初稿寫得糟糕透頂，瑣碎不說，也很膚淺；露露寫得也不怎麼樣，可是我對姊姊的要求比較高。可能是因為我自己心情很不好，所以對她破口大罵：「你**怎麼**這樣子，蘇菲亞？」我惡毒的說：「你寫得糟透了，沒有內容，沒有深度，就像卡片上印的那些文字——婆婆最討厭卡片上的字了。你怎麼那麼自私，婆婆那麼疼你——而你——竟然寫出**這樣的東西**！」

　　蘇菲亞哭得一發不可收拾，還對我吼回來，我大為驚訝，因為蘇菲亞跟傑德一樣（不像我和露露），就算有脾氣也是小火慢燉型，很少會沸騰。「你沒有權利說婆婆要什麼！你一點也不像婆婆——你死守中國人的價值觀，嘴巴上說尊重老人，可是你對佛蘿倫絲只有嘲笑。她做的每一件小事，包括做「庫

斯庫斯」（按：couscous，一種用小米做的北非主食）在內，對你來說都是嚴重的道德缺陷。你為什麼會這麼──二元論？為什麼每件事都一定要黑白分明？」

我並沒有嘲笑佛蘿倫絲，我心裡憤怒的想。我只是不讓女兒接受註定要失敗的浪漫育兒模式罷了。再說，邀請佛蘿倫絲參與所有家庭活動的人是我，讓她隨時可以看到兩個孫女的人也是我。我讓佛蘿倫絲擁有最大的快樂──兩個漂亮、有禮、優秀，讓她引以為榮的孫女。蘇菲亞這麼聰明，連二元論（manichaean）這個字都懂得用，怎麼會不明白這一切而攻擊我呢？

我不理會蘇菲亞的情緒，只是給她一些建議，告訴她可以提到一些和奶奶有關的事。我要她談一談水晶湖，還有和佛蘿倫絲一起去參觀博物館的事。

蘇菲亞完全不回應，等我走出房間後，便砰的一聲關上門，把自己鎖在房間裡，獨自重寫那段話。寫完後不肯拿給我看，也不看我一眼，儘管她後來已經冷靜下來，並換上黑色洋裝和褲襪。後來在告別式上，蘇菲亞站在講臺上講話，看起來莊重而冷靜。我沒有漏掉這些別有所指的話：

婆婆絕不妥協——不接受言不由衷的談話、不忠於原著的電影，和任何一點點虛偽的感情。婆婆不會讓別人強迫我說我不想說的話。

她的追悼辭講得很好。露露也一樣，就一個十歲小孩來說，她的洞察力很強，而且表現鎮定。我可以想像佛蘿倫絲喜不自勝的說：「我樂壞了。」

可是從另一方面來看，佛蘿倫絲說得沒錯，這兩個孩子絕對是在生我的氣。可是身為中國媽媽，我決定置諸腦後。

Battle Hymn of the Tiger Mother

虎 媽 的 戰 歌

17. 從旅行拖車到齊塔誇

佛蘿倫絲過世後的那個夏天諸事不順。首先，蘇菲亞的腳被我的車碾過。當時她跳下車去拿網球拍，而我正在倒車，所以她的左腳踝就被前輪壓到，我們兩個人當場暈倒。送醫後她被全身麻醉動手術，打了兩根螺絲釘進去，接下來整個夏天都得穿著一隻大靴子並拄著枴杖。她的心情很差，但至少因此有很多時間可以練琴。

幸好生活裡還有好的一面，那就是可可。她一天比一天可愛，而且對我們一家人發揮了不可思議的影響力，光是看著她就可以讓我們的心情好起來。我對她的雄心壯志已不復存在，她只消用那雙巧克力色的杏眼乞求的看著我，我就會讓她予取予求，這通常表示我得帶她去跑個六、七公里，無論日曬雨淋或下冰雹。可可則以同情心報答我。我知道她討厭我吼兩個女兒，但她從不會批判我，她知道我只是在努力做個好媽媽。

我並沒有因為不再對可可懷抱期望而覺得沮喪，我現在只

想要她過得開開心心就好。我終於明白可可只是隻動物，本質上和蘇菲亞和露露差太多。雖然的確有狗加入防爆小組或是緝毒小組，但是大部分狗就算沒這種專業本領，或者甚至沒有任何特殊技能，也挺好的。

大約在這段期間，我與一位傑出的同事和朋友彼得的一次談話改變了我的一生。彼得會說六種語言，看得懂包括梵文和古希臘文在內一共十一種文字，同時是個才華洋溢的鋼琴手，少年時期就曾在紐約登臺亮相。他聽過蘇菲亞在社區音樂教室舉行的演奏會。

演奏會結束後彼得告訴我，他覺得蘇菲亞的演奏非常精采，接著又說：「不是我多管閒事，可是你有沒有考慮過讓她去念耶魯音樂學院？也許蘇菲亞應該去試彈給那裡的鋼琴老師聽聽。」

「你是說……換老師？」我說，腦筋一面飛快的轉動。近十年來，社區音樂教室一直是我最喜歡的一個地方。

「嗯，對，」彼得說：「我相信社區音樂教室是很好，但是和這裡的孩子比起來，蘇菲亞根本是另一個等級的。當然這全要看你的目標是什麼，也許你只是想讓蘇菲亞玩玩而已。」

他的話把我嚇了一大跳，這輩子還從來沒有任何人說我做

什麼事只是玩玩而已。說來也湊巧，不久之前我剛好接到另一個朋友打來的電話，針對露露提出同樣的問題。

那天晚上，我寄出兩封重要的電子郵件。第一封是發給最近才從耶魯音樂學院畢業的小提琴手南琦媛（Kiwon Nahm，譯音），我偶爾會付費請她來陪露露練琴。第二封是發給楊惟誼（Wei-Yi Yang）教授，他最近才加入耶魯鋼琴系，而且毫無疑問是位鋼琴奇才和轟動一時的人物。

事情進行的速度比我預期的還快。運氣真好，楊教授知道蘇菲亞，因為他曾在一次募款活動上聽到她演奏莫札特的一首鋼琴四重奏，對她留下好印象。他和我約好，等他夏季巡迴演出結束回來，在八月底共進午餐。

同樣令人興奮的事情也發生在露露身上。十二歲就在林肯中心登臺獨奏小提琴的琦媛，慷慨的向她以前的老師瓦摩絲（Amita Vamos）提到露露。瓦摩絲老師和夫婿羅蘭都是世界頂尖的小提琴老師，曾經六次受到白宮表揚，教過的學生包括知名的小提琴家巴頓（Rachel Barton）和許多國際音樂大賽的冠軍。他們住在芝加哥，只教天資過人的學生，而且大都是亞洲人。

我們如坐針氈的等候瓦摩絲老師的消息。一星期後，瓦

摩絲老師邀露露前往紐約州西南部的齊塔誇中心（Chautauqua Institution，按：此機構成立於1874年，原為基督教主日學教師的訓練場所，現則定期舉辦各種藝術、教育、宗教、休閒活動，並提供出租房屋。）演奏給她聽，因為她這個夏天會住在那兒。瓦摩絲老師訂的日期是七月二十九日，只剩下三星期了。

接下來二十天，露露什麼都不做，只練習小提琴。為了把露露擠壓出最大的進步，我請琦媛一天來陪她練琴兩次，有時候甚至來三次。傑德看到我開給琦媛的支票，簡直不敢相信自己的眼睛。於是我告訴他，我們這整個夏天都不去外面打牙祭，也不買衣服，貼補這項支出。「而且，」我滿懷希望的說：「還有你剛領到的預付版稅。」

「看樣子我最好馬上就開始寫續集。」傑德回答。

「沒有任何事情比花錢在孩子身上更值得的。」我說。

傑德又發現另一件讓他不怎麼愉快的事。我原本以為開車去見瓦摩絲老師車程只有三到四小時，於是便這麼告訴傑德。到了出發的前一天，傑德上網查地圖，說：「你再說一次，那個地方在哪裡？」

很不幸，我沒有意識到紐約州有這麼大，原來齊塔誇位於

伊利湖附近，都快到加拿大了。

「美兒，要開九個小時的車──不是三小時。」傑德惱火的說：「我們要在那裡待多久？」

「只待一個晚上。我已經幫蘇菲亞報名上一個電腦動畫課，星期一要開課──這對拄著柺杖的她來說是很興奮的事。我相信我們七個小時就──」

「那可可要怎麼辦？」傑德打斷我的話。可可訓練大小便才兩個月，而且之前從來沒有出門旅行過。

「我想帶她一起去應該很好玩吧，我們還沒帶她去度過假呢。」我說。

「兩天開車十八小時，這怎麼會是度假。」傑德有點自私（我心裡這麼想）的指出：「蘇菲亞受傷的腳要怎麼放？她不是該把腿抬高嗎？我們要怎麼樣讓每一個人都坐上車？」

我們開的是Cherokee老爺吉普車。我建議蘇菲亞可以躺在後座，頭放在露露腿上，然後墊幾個墊子在腿下面。可可就和行李及幾把小提琴（沒錯，不只一把。我後面再解釋）一起放在後面。「還有一件事，」我說：「我問琦媛能不能一起去，而且跟她說我們會付她鐘點費，包括在路上的時間。」

「什麼？」傑德難以置信的說：「那要花三千塊（美金）

耶。而且我們要讓她坐哪？跟可可一起坐後面嗎？」

「她可以開她自己的車，我跟她說我會付油錢。她其實不太想去，因為路太遠了，而且這一來她還得取消其他的家教課。為了打動她，我還邀請她新交的男朋友艾倫一起去，並且出錢讓他們在一家不錯的旅館住三個晚上。我找到一個很棒的地方叫作威廉蘇厄德客棧，幫他們一人訂了一間豪華客房。」

「住三個晚上，」傑德說：「你是在開玩笑吧。」

「如果你想省錢的話，你跟我可以住比較便宜的旅館。」

「我不要。」

「艾倫這個人挺不錯，」我鼓動如簧之舌告訴傑德：「你會喜歡他的。他是吹法國號的，而且也喜歡狗。他說我們去見瓦摩絲老師時，他可以免費幫我們照顧可可。」

我們在黎明破曉時出發，琦媛和艾倫開一輛白色Honda跟在我們的白色吉普車後。路上並不愉快，因為傑德堅持全程由他開車，這是他的大男人主義作祟。然後蘇菲亞一直說她很難受，血液循環不好。「請你再說一次——我為什麼要去？」她無辜的問。

「因為一家人必須互相支持。」我回答：「這件事對露露很重要，你必須支持你妹妹才對。」

全程九個小時我都盤腿坐在前座，原本應該放腳的地方放著可可的食物、配備，還有睡覺舖的墊子。蘇菲亞的枴杖一頭抵住擋風玻璃，另一頭架在我的椅背上，而我的頭剛好卡在兩支枴杖之間。

　　露露則一副天塌下來也與她無關的樣子。她愈是這樣，愈表示她嚇得要命。

Battle Hymn of the Tiger Mother

虎 媽 的 戰 歌

18. 游泳洞

「什麼？」傑德問：「告訴我，我聽錯了。」這是我們去齊塔誇之前一個月的事。

「我說我在考慮把退休金基金領出來。也不是全領啦，就只領在克裡瑞的那部分。」克裡瑞、高利伯、史丁與漢米敦是我在蘇菲亞出世以前，在華爾街工作的那家律師事務所的名稱。

「就我看，這麼做完全不合理。」傑德說：「第一，你必須付一大筆稅金，這一來就會損失掉一半的錢。更重要的是，我們必須存著那筆錢，等退休以後養老用，那才是退休基金的目的。進步與文明的一部分就是來自於此。」

「可是我必須買一樣東西。」我說。

「買什麼，美兒？」傑德問：「假如有什麼東西你真的那麼想要，我會想辦法買的。」

我的愛情運非常好。傑德不但英俊、風趣、聰明，而且

還能容忍我的沒品味，以及常當冤大頭。我買的東西其實不算多，因為我既不喜歡逛街，也不做臉或修指甲，更不買珠寶首飾。可是我三不五時總會有一股按捺不住的衝動，想要擁有什麼東西（例如一件重約七百公斤的中國陶製品，可是第二年冬天它就裂了），而傑德總是會設法讓我如願。這一次，我被一股強烈的衝動打敗，很想幫露露買一把非常好的小提琴。

我聯絡了四個別人推薦的有信譽的小提琴商，兩個在紐約，一個在波士頓，一個在費城。我要每一家店按照我指定的價格範圍寄來三把小提琴，讓露露試拉，可是他們總是寄給我四把——三把依照我指定的價格範圍，一把「略微超出您的價格範圍」（意思就是說兩倍的價格），「可是我還是決定一起寄過來，因為這把小提琴音色實在是漂亮，有可能就是您在尋找的」。小提琴店這一招跟烏茲別克賣地毯的商人還挺像的。每次到達價格的新高原，我就會努力說服傑德：買一把好的小提琴是投資，就像投資藝術品或是不動產一樣。「所以說我們花得愈多，其實反而賺得愈多？」他冷冷的回答。

可是，露露和我興奮無比。每次快遞公司送來一個新的大盒子，我們便迫不及待的打開。試拉不同的小提琴，比較每一把的木頭材質及音色，了解琴的來歷，弄清楚各自的個性特

質，是件很好玩的事。我們試了幾把新琴，但多數是有點年份的──一九三○年代或是更早以前製造的。我們試過英國、法國、德國的琴，不過主要還是義大利的，多半出自克雷莫納、熱那亞和那不勒斯。露露和我會讓全家人戴上眼罩，看能否聽得出現在在拉的是哪一把小提琴；還有，假如這一輪說出喜歡的是哪一把，下一輪再矇著眼聽，會不會還是選到同一把。

我和露露的關係很獨特，有時突然水火不容，可是又非常親密。我們可以共度開心時光，但又會重重傷害彼此。我們總是知道對方在轉什麼心思、正打算施展什麼樣的折磨招數，而且我們都克制不住自己。我們的脾氣來得急去得也快。傑德從來不明白我和露露怎麼可以前一分鐘還在要死要活的鬧得不可開交，下一分鐘馬上看到我們躺在床上，露露兩手環著我，聊小提琴或是一起看書，有說有笑。

話說回來，當我們終於到達瓦摩絲老師在齊塔誇協會的琴室時，我們帶去的小提琴不是一把，而是三把，因為實在很難取捨。

「太好了！」瓦摩絲老師說：「有意思，我喜歡試小提琴。」她非常直率，說話一針見血，而且帶有一種獨特的幽默感。她也是好惡分明的人（「我不喜歡韋奧第第二十三號小提

琴協奏曲。無聊死了！」），渾身散發活力，讓人印象深刻。她對小孩子也很有一套，至少對露露是如此，似乎一看就對眼。瓦摩絲老師和傑德也一見如故，她唯一沒那麼欣賞的人可能是我。我有一種感覺，她少說見過好幾百個（說不定好幾千個）亞洲媽媽，而她覺得我缺少美感。

露露拉莫札特的第三號協奏曲給瓦摩絲老師聽。瓦摩絲說露露非常有音樂天賦，並問露露喜不喜歡拉小提琴。我摒住氣，對這個答案還真是不太有把握。露露回說喜歡，然後瓦摩絲老師便告訴露露，具備音樂天賦是很大的優勢，這一點是教不來的，不過她的技巧卻不足。她問露露有沒有練習音階（「算有吧」）和練習曲（「那是什麼？」）。

瓦摩絲老師告訴露露，如果她有心成為出色的小提琴手，就得改變所有的習慣。她得練習很多很多的音階和練習曲，培養無懈可擊的技巧、肌肉的記憶、完美的音準才行。瓦摩絲老師也告訴露露，她的進度實在太慢，協奏曲的一個樂章就要練六個月，這樣不行。「我這裡和你同樣年齡的學生，兩星期就可以學完**整首協奏曲**——你應該也可以做到這樣。」

接著瓦摩絲老師便和露露逐行練習莫札特的協奏曲，指正她的拉琴方式。她是一位不可多得的老師——要求高，但很風

趣；吹毛求疵，但很能激發孩子。一小時到了（這時已有五、六個學生進來，拿著他們的樂器坐在地板上），瓦摩絲老師給露露一些功課要她自己下功夫，並告訴我們她明天很高興再看到露露。

我簡直不敢相信。瓦摩絲老師要再見到露露，我差一點從椅子上跳起來——若非看見可可在窗外一閃而過，而艾倫拉著她的繩子跟在後面的話，說不定我真的會跳起來。

「那是什麼？」瓦摩絲老師問。

「我們家的狗，可可。」露露解釋。

「我喜歡狗，你們家的狗真可愛。」

這位世界知名的小提琴老師說：「我們明天也可以聽聽看那幾把小提琴拉起來的聲音如何，」她又說：「我喜歡義大利琴，不過說不定法國琴的聲音以後會拉得開。」

回到旅館時，我興奮得全身顫抖，迫不及待要開始練琴。機會難得啊！我知道瓦摩絲老師身邊全是些急切的亞洲媽媽，可是我比他們更有決心，我要讓瓦摩絲老師驚豔，讓她知道我們有多麼厲害。

我拿出那首莫札特協奏曲的樂譜，剛好看到露露一屁股坐進一張舒服的扶手椅。「啊——，」她心滿意足的嘆了口氣，

頭往後一靠。「真是不錯的一天，我們去吃晚飯吧。」

「**晚飯**？」我簡直不敢相信我的耳朵：「露露，瓦摩絲老師出了功課給你，她要看你進步的速度可以有多快耶。沒有比這更重要的了——這可不是開玩笑的。來吧，我們開始吧。」

「你在說什麼呀，媽咪？我已經拉了**五小時**的琴了耶。」這倒是真的，去見瓦摩絲老師之前，她整個上午都在和琦媛一起練。「我需要休息，現在沒辦法練了，而且已經五點半，該吃晚飯了。」

「五點半不是吃晚飯的時間。我們先練琴，再好好吃一頓晚餐犒賞自己。我已經在一家義大利餐廳訂好座位，是你最喜歡的。」

「喔——，不——要——啦，」露露呻吟：「你是說真的嗎？幾點？」

「什麼幾點？」

「晚餐訂位的時間？」

「噢！九點。」我一說出口便後悔。

「九點？**九點**？別開玩笑了，媽！我拒絕。我拒絕。」

「露露，我會把時間改到——」

「**我拒絕！**我現在不能練琴，我不練！」

接下來發生的事情我不願意細述，只要說兩件事就夠了。第一，我們直到九點才吃晚餐。第二，我們沒練琴。現在回想起來，我真不知道自己是哪來的力氣和蠻勇去跟露露耗。現在光是回想那天晚餐發生的事情，就讓我覺得累死了。

　　可是第二天早上，露露起床後自己跑去找琦媛練琴，所以還有一線希望。傑德用最強烈的字眼建議我帶可可出去跑一跑，跑得愈遠愈好，我照做了。中午琦媛陪我們一起回到瓦摩絲老師那裡，今天的課也上得很順利。

　　我滿懷希望，希望瓦摩絲老師會說：「我很願意收露露為學生。你們有沒有可能一個月飛到芝加哥上幾堂課？」然後我就會說，能，當然能。然而她卻建議露露接下來這一年拜琦媛為師，密集的上課。「在技巧方面找不到比琦媛更好的人了，」瓦摩絲老師對她這個高徒笑著說：「而且露露，你的技巧要好好加油才行。不過只要一年左右，你可能就會考慮去報考茱莉亞音樂院的先修班了。琦媛，你不就是這樣嗎？多少人擠破頭想進茱莉亞，可是只要下足功夫，露露，我敢說你一定進得去。當然，我希望你明年夏天還可以再來看我。」

　　在開車返回紐哈芬之前，我們先去了一個自然保護區，發現了一個漂亮的游泳洞，四周環繞著山毛櫸和小瀑布。我們住

游泳洞 **8**

的那家旅店老闆先前說過,這一帶有幾個隱密的勝地,游泳洞是其一。可可怕水,她以前從來沒有遊過泳,可是傑德慢慢把她拉到正中央的深水區,然後放開她。我怕可可會淹死,可是就像傑德所說,可可用狗爬式安然游回岸上,我們全都拍手叫好,用毛巾幫她擦乾後好好的擁抱了她一番。

後來我在心中對自己說,這就是狗和女兒的不同。狗只不過做了每一隻狗都會做的事,比如用狗爬式游泳,我們就驕傲欣喜的鼓掌叫好。要是我們對女兒也能這樣,事情就簡單多了!可是我們不能,對孩子這樣就叫做疏於職守。

我必須隨時提高警覺才行。瓦摩絲老師話說得再清楚也沒有了。上緊發條的時候到了。

♥蘇菲亞和她的監工（我爸爸在一旁看著）

^{19.}登上卡內基音樂廳

　　我的心往下沉。這首曲子看起來稀鬆平常得令人失望，只見到處都是斷奏音，沒有密集的音符和起伏跌宕的音調。而且這首曲子這麼短，才六頁影印紙。

　　蘇菲亞和我在楊惟誼教授那間耶魯音樂學院的琴室裡。這是個長方形的大房間，兩架黑色史坦威小型平臺鋼琴並排立著，一架給老師彈，一架給學生彈。我正在盯著選自普羅高菲夫《羅密歐與茱麗葉》的〈少女茱麗葉〉看，楊教授建議蘇菲亞在即將舉行的國際鋼琴大賽中演奏這首曲子。

　　我和楊教授頭一次見面時，他說他從來沒有教過蘇菲亞這

個年齡的學生，當時蘇菲亞還不滿十四歲。他只教耶魯大學鋼琴系的研究生以及少數一些非常高水準的耶魯大學生。然而他聽過蘇菲亞彈琴後願意破例，不過有一個條件，就是她不能以年齡為由要求特殊待遇。我向他保證絕對沒問題。

我知道我信得過蘇菲亞。她的抗壓力極強，比我還厲害，排斥、苛責、羞辱都能承受，也耐得住練琴的寂寞。

蘇菲亞的嚴峻考驗就此展開。惟誼和瓦摩絲老師一樣，期望值遠遠超出我們原有的程度。他第一堂課就交給蘇菲亞一疊厚得連我都嚇到的琴譜，一共是六本巴哈創意曲、一本莫茲可夫斯基練習曲、一本貝多芬奏鳴曲、一本哈察都量（Khachaturian）的觸技曲，還有布拉姆斯的G小調狂想曲。他說，蘇菲亞得趕一下進度才行；她的技巧基礎不夠，她的彈奏還有幾個大缺點。更嚇人的是，他對蘇菲亞說：「不要彈錯，浪費我的時間。以你的程度來說，彈錯是沒有藉口的。把音彈正確是你的本分，這樣我們上課時才可以加強別的地方。」

兩個月後，楊惟誼挑選了改編自《羅密歐與茱麗葉》組曲的幾首曲子，把我的看法扭轉了一百八十度。普羅高菲夫的曲子看來一點都不難，完全沒有給我比賽冠軍曲的感覺。那為什麼要選他的曲子？我唯一知道的他的作品就是《彼得與狼》。

為什麼不選難一點的，例如拉赫曼尼諾夫？

「哦，這首曲子，」我大聲說：「蘇菲亞以前的鋼琴老師覺得對她來說太簡單了。」這個說法不完全對。事實上，並沒有這回事。可是我不想要楊惟誼認為我在質疑他的判斷力。

「簡單？」楊惟誼用低沉的聲音輕蔑的說。那低沉的男中音，和他瘦小如少年般的身材很不相襯。三十多歲的楊惟誼是中日混血兒，但在倫敦長大，在俄羅斯受教育。「普羅高菲夫的鋼琴協奏曲有頂天的氣勢，這首曲子絕對沒有一個部分——沒有一個音是簡單的。我懷疑有哪一個人能把這首曲子彈得好。」

我就喜歡這樣，喜歡權威的人，喜歡專家。這一點正好和傑德相反。他討厭權威，認為大部分「專家」都是在吹捧自己而已。更重要的是，普羅高菲夫並非簡單之流！好極了！是楊惟誼教授這位專家說的。

我緊張了起來。在這種比賽拿到第一名，就可以在卡內基音樂廳開演奏會。蘇菲亞以前只參加過地方性比賽，她當年與法明頓穀交響樂團（全是志工）合作獨奏時，就讓我欣喜若狂。從那裡躍上國際競賽的舞臺令人生畏，更別說在卡內基音樂廳表演——我一想到就興奮得快癱了。

　　接下來幾個月，我和蘇菲亞充分領略到跟大師上課是什麼滋味。看楊教授教蘇菲亞彈〈少女茱麗葉〉是我前所未有的經驗，一方面大開我的眼界，一方面深覺自己的渺小。他領著蘇菲亞把生命帶入這首曲子，添加了一層又一層細微的差異，而我腦中浮現的是：這人是個天才，我是個野蠻人；普羅高菲夫是天才，我是白癡；楊惟誼和普羅高菲夫都是偉人，我是食人族。

　　去上惟誼的課成為我最喜歡的事，整個星期都在期待上課日的到來。每一堂課我都虔誠地做筆記，也愈來愈進入狀況。偶爾也有超出我理解能力的時候：他說的三和絃、三全音，還有「讓音樂有和諧感」是什麼意思？可是蘇菲亞為什麼一下就懂了？有時候，蘇菲亞漏掉的重點我記下了——我像老鷹般盯著惟誼的示範，甚至會在筆記本上畫下素描。回家後我們兩個會用新的方式合作，共同努力吸收惟誼的解析與指示。我再也不必催促蘇菲亞練琴。她整個人被鼓舞、激發起來，彷彿一個全新的世界在她面前開啟。而我這個道行尚淺的夥伴也一樣。

　　普羅高菲夫這首曲子最難的部分就在於難以捉摸的茱麗葉主題，而這偏偏又是整首曲子的骨幹。我把蘇菲亞後來在學校寫的一篇報告〈征服茱麗葉〉摘錄如下：

我剛彈完〈少女茱麗葉〉這首曲子的最後幾個音。位於地下室的琴室一片死寂。楊教授看著我，我看著地毯，而媽媽則在我們的鋼琴筆記上振筆疾書。

我在腦海中回想這首曲子，是音階，還是跳音？我一一做到了。是力度，還是速度變化？我已經按照每一個漸強和漸慢做了。照我自己看，我的表現無懈可擊。那這兩個人是怎麼了，他們還能再要求我做什麼？

最後，楊教授說話了：「蘇菲亞，這首曲子是什麼溫度？」

我答不出來。

「這個問題很難回答，我把它說得簡單一點。想一下中間的部分，是什麼顏色？」

我明白我一定得給個答案：「藍色？淡藍色嗎？」

「那麼什麼樣的溫度是淡藍色的？」

這個好答。「淡藍色是冷的。」

「那麼就讓那個樂句是冷的。」

這算是哪一國的指示？鋼琴是敲擊樂器耶，沒有溫度可言。我可以聽到縈繞在腦海的優美琴音。**好好想一下，蘇菲亞**！我知道這是茱麗葉的主題，可是茱麗葉是誰，她又是怎麼個「冷」法？我記得楊教授上星期提到過：茱麗葉十四歲，正

好和我同年。如果有一個年紀比我大一點的男孩突然告訴我他對我的愛終身不渝，我會有什麼反應？唔，我心想，她知道羅密歐愛慕她，既高興又不好意思。她也心儀羅密歐，可是又害羞、又怕自己看起來操之過急。這種冷是我可以理解的。我深深吸一口氣，然後開始。

真沒想到楊教授挺滿意的。「好一點了。現在再彈一次，這一次要用你的手，而不是用你的臉部表情，來表達出茱麗葉的心情。喏，像這樣──」他坐到我的椅子上彈給我聽。

我絕對忘不了他扭轉這一小段樂曲情緒的方式，完全符合我想像中茱麗葉的樣子：迷人、嬌弱、有一點冷淡。我恍然大悟，要訣就在於讓手反映出這首樂曲裡的角色。楊教授的雙手像帳篷似的拱起來，耐心的撫觸琴鍵奏出琴音。他的手指優雅有力，猶如芭蕾舞伶的雙腿。

「現在換你。」他下令。

不幸茱麗葉只占半首曲子，下一頁有一個新的角色，就是害了相思病、渾身充滿男性荷爾蒙的羅密歐。他是一個全然不同的挑戰；他的語調豐富而有陽剛氣，茱麗葉則是輕盈纖細。不用說，楊教授有更多的問題要我去克服。

「蘇菲亞，你的羅密歐和茱麗葉聽起來一樣。他們是用什

麼樂器演奏的？」

我毫無頭緒。「呃，鋼琴嗎？」我心想。

楊教授繼續說：「蘇菲亞，這首芭蕾組曲是為整個管絃樂團所寫的，而你是鋼琴家，必須複製出每一種樂器的聲音。所以茱麗葉是什麼，羅密歐又是什麼？」

我不解的彈了每個主題一開始的幾個小節。「茱麗葉大概是……長笛，而羅密歐是……大提琴？」

結果，茱麗葉是低音管，不過羅密歐的部分我說對了。在普羅高菲夫原始的安排中，代表羅密歐的主題其實是用大提琴演奏的。羅密歐的角色我比較容易明白，我也不知道為什麼，但絕對不是來自現實生活的啟發。也許我只是為他難過吧，因為他顯然是註定要失敗的，而他又無可救藥的為茱麗葉癡迷。茱麗葉主題若隱若現，他只有跪地請求。

茱麗葉讓我想破了頭都想不透，可是我卻總是有把握可以抓得住羅密歐。他低落的情緒需要很多不同的演奏技巧，有時候聲音宏亮充滿自信，可是短短幾個小節之後，他又絕望的懇求。我努力訓練雙手做到楊教授說的那樣。要同時表達出茱麗葉既是女高音又是首席芭蕾舞伶已經夠難了，而現在我還得像大提琴家一樣的演奏鋼琴。

這篇報告的結論我保留到後面再說。

蘇菲亞在準備的這項比賽，參加者是世界各地年輕的鋼琴手，只要不是職業樂手就行。特別之處在於參賽者不需到現場演奏，而是把自己選擇的曲目錄成十五分鐘未經編輯的CD送審，評審據此選出優勝者。惟誼很強調這張CD要以蘇菲亞演奏的〈少女茱麗葉〉開場，接著立刻接〈甦醒的街道〉──這是選自《羅密歐與茱麗葉》的另一首小品。他就像美術展的館長，仔細挑選出其他曲目：李斯特的匈牙利狂想曲和一首貝多芬中期的奏鳴曲。

經過八星期的苦練之後，惟誼說蘇菲亞可以錄音了。某個星期二晚上很晚，等她寫完功課、練完琴之後，我們開車到一位專業音響工程師伊斯文的工作室去錄音。這個經驗非常慘痛。起初我以為事情很簡單，可以隨心所欲想彈幾次就彈幾次，直到彈出完美的旋律為止。可是我完全錯了。我沒有搞懂的是（一）彈琴的手是會累的；（二）現場沒有聽眾，加上知道每個音都會被錄下來，這時要彈出音樂性是難上加難；（三）蘇菲亞淚眼婆娑的說，她彈的次數愈多，愈竭盡全力傾注感情在演奏上，聽起來就愈空洞。

而最難的總是落在最後一頁或最後一行。這就好像看著

你最喜歡的奧運花式滑冰選手，她好像金牌在握了，只要最後幾個跳躍穩穩著地就好。可是壓力逐漸升高到難以承受。你以為，這次可能大功告成了，搞定了。然而最後一次三圈半的跳躍卻失敗了，她重重摔下，整個人趴在冰上。

類似的事情也發生在蘇菲亞的貝多芬奏鳴曲上，怎麼彈都不對。第三次彈時，蘇菲亞漏掉結尾前的整整兩行。身穿黑色皮夾克、頭戴黑色滑雪帽和Clark Kent黑框眼鏡的伊斯文委婉的建議我去外面透透氣。他說：「沿著這條街走下去有一家咖啡館，也許你可以買一杯熱可可給蘇菲亞喝。我倒是需要喝杯咖啡。」十五分鐘後我買好飲料回來時，伊斯文正在收拾東西，蘇菲亞則在開懷大笑。他們告訴我，已經錄好一首貝多芬了，好得很，並不是完全沒有錯誤，但是音樂性很強，我大大的鬆了口氣，什麼都沒問。

我們把這張CD送去給惟誼，裡面有蘇菲亞每一首曲子的每一次彈奏錄音，由惟誼做最後選擇。（結果他選了第一次的普羅高菲夫、第三次的李斯特和最後一次的貝多芬。）等伊斯文剪輯完，我們就用快遞送出CD。

接下來就是等待。

Battle Hymn of the Tiger Mother

虎 媽 的 戰 歌

20. 登上卡內基音樂廳 II

　　現在換露露了！中國媽媽全年無休，沒有時間充電，更不可能和朋友飛到加州的泥漿溫泉去度假。在等候蘇菲亞的比賽結果之際，我把注意力轉移到露露身上，那時她十一歲，而我想到一個很棒的點子。我遵從瓦摩絲老師的建議，讓露露去參加紐約茱莉亞音樂院先修班甄試，這個先修班收的是大約七到十八歲的天才兒童。雖然琦媛不確定露露的技巧是不是已經夠好，但我有信心可以加快腳步趕上。

　　傑德不贊成我的想法，努力說服我放棄。茱莉亞音樂院先修班的競爭是出了名的激烈，每一年都有數以千計成績斐然的孩子從世界各地前來競逐少數的名額，來自亞洲的最多，最近俄羅斯和東歐也有不少競爭者前來分一杯羹。這些孩子來申請的原因是：（一）他們夢想成為職業音樂家；（二）他們的父母夢想孩子成為職業音樂家；或是（三）他們的父母想法正確，認為念茱莉亞有助於他們日後上長春藤盟校。考上先修班

的極少數幸運兒,每星期六要在茱莉亞上九到十小時課。

傑德一點都不想每星期六天一亮就起床,然後開車到紐約(我說由我負責開車就好)。可是他真正擔心的是茱莉亞那種眾所周知的壓力鍋氣氛,以及彼此之間的惡性競爭。他不知道這對露露來說好不好,露露也不知道。事實上,她堅持不去考試,說她就算考上了也不會去念。可是露露向來就不想做我建議的任何事情,所以我當然不理她。

還有另一個原因讓傑德認為念茱莉亞未必是好事。其實他自己多年前就曾是茱莉亞音樂院的學生。他從普林斯頓大學畢業後,進入茱莉亞主修戲劇,這個系比茱莉亞享譽全球的音樂系更難進去。於是傑德搬到紐約市,和同學一起學習演戲技巧,凱莉‧麥姬莉絲(Kelly McGillis)(《悍衛戰士》(*Top Gun*))、方‧基墨(Val Kilmer)(《蝙蝠俠》(*Batman*))、瑪莎‧克羅斯(Marcia Cross)(《慾望師奶》(*Desperate Housewives*))都是他的同學。當年他和芭蕾舞者約會,學習亞歷山大技巧(按:一種透過學習調適身體姿態及肌肉來改善健康及表現的方法),還在《李爾王》一劇中飾演主角。

後來傑德被學校開除,原因是「不服從」。當時他在契

160

訶夫的《櫻桃園》一劇中飾演羅巴金,導演要他用某種方式表演,但是傑德不認同。事隔數週,有一次在排戲時導演心情不好,對傑德大發脾氣,還把鉛筆折成兩段,宣稱她無法和一個「只是站在那裡,不把我放在眼裡,而且批評我說的每一句話」的人合作。兩天後,系主任(正好是被傑德冒犯的那位導演的先生)告訴傑德,他最好去找別的事做。他在紐約端了一年盤子後,才發現那件所謂的別的事,原來就是讀哈佛法學院。

也許是因為我認為這件事的結局是圓滿的(若是他繼續念茱莉亞,我們倆就不會認識),所以每當朋友聚會時我就會說一次,而這個故事總是大受歡迎,特別是經過我的加油添醋後。大家好像認為一位法律教授念過茱莉亞,又認識凱文·史貝西(Kevin Spacey)(他是高傑德幾屆的學長),是件很不得了的事,何況不服從和被學校開除還是老美喜歡的事。

反之,我們告訴我爸媽這件事時,就一點也不討好。這是我和傑德婚前的事。事實上,我一直到後來才告訴他們有傑德這個人存在。我把他藏了兩年之後,才出其不意的告訴爸媽說我在認真和傑德交往,把他們嚇了一大跳,媽媽簡直可說是痛心不已。我小時候,她總是給我很多很多如何找到好丈夫的建

議。「別嫁給太帥的男人，那會很危險。丈夫最重要的是品德和健康，假如嫁給一個體弱多病的人，這輩子可就慘了。」可是她總是認為這個非病弱的女婿會是個中國人，而且最理想的是一個有碩士或博士頭銜的福建人。

沒想到，這個傑德竟是個白人加猶太人。我父母對傑德念過戲劇學院的事沒什麼好感。

「戲劇學院？」爸媽並坐在沙發上，面無表情，爸爸盯著傑德說：「你要去演戲嗎？」

方‧基墨和凱莉‧麥姬莉絲在爸媽眼中好像沒什麼了不起，兩人繼續面無表情的坐著。可是當傑德說到被學校開除，不得不去端六個月盤子時，我媽媽就嚇得快窒息了。

「被開除？」她邊說邊痛苦的瞅了老爸一眼。

「那有沒有留下紀錄？」老爸嚴肅的說。

「爸，不用擔心啦！」我笑著要他們放心：「結果因禍得福，因為傑德後來去念了法律學院，而且他熱愛法律。那只是件好笑的事而已。」

「可是你說他是公務員，」老爸一臉不以為然。我看得出來他腦海裡浮現出傑德在監理處的亭子裡不停在表格上蓋章的畫面。

我第三次耐著性子向爸媽解釋，傑德因為想要做一些有益社會大眾的事，所以辭去華爾街那家律師事務所的工作，而到紐約南區的聯邦檢察官辦公室擔任聯邦檢察官。「這是個聲望很高的工作，」我說：「而且是可遇不可求的。傑德做這份工作薪水減少了八成。」

「八成！」我媽脫口而出。

「媽，只不過是三年而已，」我疲憊的說，打算放棄了。我們的西方朋友說到傑德減薪擔任公益服務，總是會說「真了不起」，然後拍拍他的背。「最起碼，這個經驗很重要。傑德喜歡訴訟，他以後可能想當出庭律師。」

「為什麼？」我媽痛苦的問：「是因為他想要當**演員**？」她說出「演員」時，一副這兩個字多麼不潔的樣子。

現在回想起那段經過以及爸媽後來如何改觀，就覺得很好玩。到我考慮讓露露去念茱莉亞的時候，爸媽已經很崇拜傑德。教人啼笑皆非的是，當時我娘家兩個朋友的兒子在香港成為知名演員，所以爸媽對演戲的看法因而改變，也早已明白茱莉亞名氣很大（「馬友友」！）。可是他們和傑德一樣，不懂我為什麼要露露去考先修班。

「你不是不想要她以後成為職業小提琴手嗎？」爸爸困惑

的問。

我自己也不知道為什麼,可是我並沒有因此而不再冥頑不靈。大約是在我把蘇菲亞的CD送去參賽前後,我也遞出露露報考茱莉亞的報名表。

我說過,用中國人的方式教養孩子比用西方人的方式辛苦多了,因為完全沒有時間喘息。陪蘇菲亞馬不停蹄的練琴兩個月,好不容易才結束,又得立刻轉身為露露做同樣的事。

茱莉亞先修班考試流程的安排方式,不啻是把壓力擴大到極致。露露這個年紀的考生必須準備三首有三個八度的大小調音階和琶音,一首練習曲、一首協奏曲的慢板和快板各一個樂章,還有一首對比強烈的練習曲,這些曲子顯然都得背起來,不能看譜。考試時,考生進到一間教室(家長不能陪同),在大約五到十位先修班的老師面前演奏,這些老師可以要求以任何順序聽任何一首曲子的任何一部分,也可以隨時要考生停下來。先修班的小提琴老師包括一些大師級人物,像是帕爾曼(Itzhak Perlman)、紐約愛樂首席小提琴手迪特羅(Glenn Dicterow),以及其他一些全球知名的老師。我們把目標鎖定一位叫作田中生子(Naoko Tanaka)的老師,她和瓦摩絲老師同樣受歡迎,來自世界各地的學生拚命想擠進她的琴室。我們

之所以知道田中老師，是因為琦媛曾在她門下學習九年，到十七歲才師從瓦摩絲。

　　幫助露露做準備尤其難，因為她還是堅決不肯應考。她討厭從琦媛那裡聽到有關茱莉亞音樂院的任何一件事。她知道有的考生為了這個考試已經努力多年，而且特地坐飛機從中國大陸、南韓、印度來應考。有的考生考過兩、三次仍榜上無名，也有人已經私底下跟著先修班的老師學習。

　　可是我放低姿態。「露露，由你來做最後的決定。」我騙她說：「我們還是為考試做準備，可是如果最後你真的不想去考，就不用去。」「絕對不要因為恐懼而不去嘗試。」在另外一個場合，我則嚴肅地告誡她：「我做的每一件有價值的事，都是我在當時怕得不敢去嘗試的。」為了提高生產力，我不但付費請琦媛一天來好幾小時，還從耶魯請來一個叫作萊希的可愛大學生，露露後來很崇拜她。萊希的琴藝雖然不及琦媛，但她是耶魯管絃樂團的團員，而且非常喜愛音樂。她聰明而冷靜，對露露有正面的影響。她會質疑一些事，並和露露討論她們最喜歡的作曲家和協奏曲，談論哪些小提琴手名不副實，以及露露要拉的曲目的不同詮釋方法。每次聊完之後，露露總是會有一股練琴的動力。

在此同時，我還在耶魯授課，並且寫完第二本書。這本書是關於史上最偉大的帝國及其成功的祕訣，同時我也不斷的前往各地發表有關民主化與族群衝突的演講。

有一天，我在某地的機場候機飛回紐哈芬時，看了一下我的藍莓機，看到一封蘇菲亞的鋼琴比賽贊助單位寄來的電子郵件。我有好幾分鐘動彈不得，很怕是壞消息，最後實在忍不住了才按下按鍵。

蘇菲亞拿到了第一名。她即將在卡內基音樂廳登臺演奏！現在唯一的問題是，蘇菲亞在卡內基演出的時間，正是露露要去茱莉亞考試的前一天晚上。

♥蘇菲亞二〇〇七年在卡內基音樂廳演出

21. 登臺與考試

　　這真是個大日子——蘇菲亞在卡內基音樂廳登臺演出。這次真的把我給樂壞了。我跟傑德商量好，決定那一年寒假不外出度假。我買了件紐約Barneys的炭黑色緞子長禮服給蘇菲亞登臺穿。（這次不穿David's Bridal平價晚禮服了！）音樂會後的慶功宴，我租了紐約頂級的聖瑞吉斯酒店楓丹白露廳，同時也訂了兩間客房住兩個晚上。餐點除了壽司、蟹肉餅、水餃、墨西哥起司夾餅、一個生蠔吧台，以及用冰的銀碗裝的大蝦之外，我還訂了幾個餐檯供應牛里脊、北京烤鴨以及義大利麵（給小朋友的），並在最後關頭追加了格律耶爾起司小圓餅、

西西里野菇珍珠丸,以及一個超大的甜點檯。同時我還印了邀請卡,廣邀所有親朋好友。

每次收到一張新的帳單,傑德就會挑起眉毛。他有一次說:「唔,我們夏天的度假也泡湯了。」我媽也被我的大手筆給嚇壞了。在我成長的過程中,我們只住過汽車旅館Motel 6或假日飯店。然而,在卡內基音樂廳演奏可是千載難逢的機會啊。我下定決心要使整個過程成為一次難忘的經驗。

為免誤導,我得澄清一下,我的某些行為並非典型中國媽媽的風格,例如我的愛現,以及事情做得過頭。我的這些缺點,還有大嗓門、喜歡大型聚會、愛紅色,都是得自我爸真傳。就連在我成長的過程中,我那非常安靜內斂的媽媽也會搖頭說:「這是遺傳,美兒是那個怪胎的翻版。」怪胎指的就是我爸爸,而我的的確確是一直都把他視為偶像。

我在訂聖瑞吉斯時就說好了要用他們的鋼琴,而在演奏會的前一天,蘇菲亞和我什麼事都不做,就只是練琴、休息、練琴、休息而已。傑德擔心蘇菲亞練習過度,手指頭會太累;惟誼也告訴過我們,蘇菲亞對她要彈的那些曲子早已嫻熟於胸,所以鎮靜與專注才是最重要的事。然而我必須確定蘇菲亞的演出無懈可擊,不會漏掉任何一丁點惟誼教過我們的細微表情。

我們沒有聽從別人的建議，一直練到將近半夜一點。我跟蘇菲亞說的最後一句話是：「你明天一定會表演得很精采。你這麼的努力，你知道自己已經全力以赴，所以到時候不論表現如何都沒有關係了。」

第二天這一刻到了，我差點透不過氣來，緊緊抓著椅子的扶手，全身幾乎處於僵硬狀態，可是蘇菲亞的表現令人激賞，可說彈得歡欣雀躍。我對每一個音符、每一個樂句、每一個巧妙的指法都瞭若指掌，知道哪裡可能有陷阱，可是蘇菲亞不費吹灰之力就越過了所有的陷阱。我知道她最喜歡的是哪些部分，她最能掌握的過門樂段。我知道哪些地方謝天謝地她沒有彈得太急，以及什麼時候她開始要收尾了，任由自己即興揮灑感情，因為她心知肚明這次演出大獲成功。

演出結束後，每一個人都衝上去恭喜她、擁抱她，而我裹足不前。我也不需要「蘇菲亞的眼神在人群裡尋找我」（太老套了！）。我只是遠遠的看著這個已經長大的可愛小女孩，看著她和朋友們一起嘻嘻哈哈，懷裡堆滿了花。

每當我失去信心的時候，就會強迫自己回憶這一刻。我的父母和妹妹們來了，傑德的父親賽偕同妻子海瑞兒，還有許多朋友同事也來了。惟誼從紐哈芬來欣賞這場演出，而且顯然以

這個年輕的學生為豪。蘇菲亞說這是她這輩子最快樂的日子之
一。我不但邀請她全年級的同學來,甚至還租了輛車去接送她
們往來於紐哈芬和紐約。那群情緒激動的八年級生縱情鼓掌,
掌聲比誰都來得熱烈——而且他們吃的鮮蝦盅也比任何人都多
(聖瑞吉斯可是按隻計費的呀)。

　　我說過要給大家看蘇菲亞那篇〈征服茱麗葉〉的結尾,以
下就是:

　　我好像搞不清楚發生了什麼事,一直到我發現自己已經站
在後台,嚇得半死、抖個不停。我雙手冰冷,完全想不起來那
首曲子一開始要怎麼彈。一面舊鏡子映出我如粉筆般蒼白的臉
孔,與黑色的禮服成強烈對比,我在想,不知有多少音樂家曾
經注視過那面鏡子。

　　卡內基音樂廳。好像不該這樣。這應該是個難以達到的目
標才對,而且這根紅蘿蔔理應是要讓我為了一個虛假的希望,
持續練一輩子琴而懸在那裡的才對。然而我現在就在這裡,一
個八年級學生,即將為滿懷期待的觀眾演奏〈少女茱麗葉〉。

　　我萬般努力為的就是這一刻。我學到的不只是羅密歐和茱
麗葉這兩個角色而已,那個陪在茱麗葉身邊反覆咕噥的甜美聲

音是她的護士；鬧哄哄的和絃是羅密歐那些愛戲弄人的朋友。我的心情就用某種方法呈現在這首曲子裡。在那個當下，我明白自己有多麼喜愛這首樂曲。

演出絕非易事——事實上，常教人難以忍受。因為要花好幾個月、甚至好幾年你才能精通一首樂曲，成為這首曲子的一部分，而這首曲子也成為你的一部分。為觀眾演奏就像在捐血，捐完血後你會覺得有點空虛，加上一點點暈眩。一旦演奏結束，那一部分就不再屬於你了。

上臺的時間到了。我走到鋼琴旁，向觀眾鞠躬。這時只有舞臺是亮的，我看不到觀眾的臉。我跟羅密歐和茱麗葉道別，將他們釋放，沒入黑暗。

蘇菲亞的成功讓我精神百倍，充滿了新的夢想。同時，我沒辦法不注意到，蘇菲亞演出的威爾獨奏廳雖然很迷人，有美麗、對稱的拱頂，但這個位於卡內基音樂廳三樓的場地相對來說是個小音樂廳。我後來才知道，在電視上看到過的那間大而輝煌的演奏廳叫作艾薩克・史坦禮堂，可容三千觀眾，許多舉世最了不起的音樂家都曾在那兒演出。我在心裡默記，我們該為有朝一日在那裡演出而努力。

那天有一些美中不足的地方。我們全都覺得佛蘿倫絲的缺席留下了無法填補的空虛。蘇菲亞以前的鋼琴老師米雪沒有來，也讓人難過；我們轉投到惟誼的門下後，儘管努力和她維持關係，但她還是不太能接受。不過最糟糕的是露露在蘇菲亞演奏會的當天食物中毒。她整個早上都在和琦媛練習要考的曲目，然後一起去一家熟食店吃午餐，餐後二十分鐘，露露的肚子就開始不舒服，繼而抽痛。她設法撐到蘇菲亞的演出結束，才蹣跚走出音樂廳，由琦媛帶她坐計程車回旅館。露露錯過了整個慶功宴，我和傑德則輪流跑回客房看她。露露徹夜嘔吐，由我媽媽照顧。

第二天早上，我們帶露露去茱莉亞，她臉色蒼白、毫無血色，幾乎走不動路。她穿著一件黃白相間的洋裝，頭上結了一個大蝴蝶結，反而讓她的臉色顯得更加憔悴。我考慮放棄考試，然而已經花了這麼多時間準備，所以現在連露露自己也想去考。我們在等候區裡看到的家長都是亞洲人，他們來回踱步，一臉嚴肅，心無旁騖，看起來是那麼的勢在必得，我心想，他們有可能喜歡音樂嗎？然後我忽然想到，那些家長幾乎全是外國人或移民，音樂對他們來說是門票。我心想，我和他們是不同的。我欠缺了成功的條件。

叫到露露的名字時，她一個人勇敢的走進教室，我心疼極了——我其實差一點就要打退堂鼓，可是我非但沒有這麼做，還在她演奏莫札特的第三號協奏曲和佛瑞（Gabriel Fauré）的《搖籃曲》時，和傑德把耳朵貼在門上聽，她拉得非常動人，正如往常一樣。考試結束後，露露告訴我們，帕爾曼和小提琴老師田中生子也在主考官之列。

　　一個月後，我們收到了壞消息。傑德和我看到薄薄的信封，心中立刻有數，這時露露還在學校。傑德看完那兩行正式的落榜通知後，一臉憤慨的把頭別過去。他一句話都沒有對我說，但是未說出口的指責是「現在你高興了吧？美兒，現在要怎麼辦？」

　　露露放學回到家時，我盡量用愉悅的語氣對她說：「嘿，露露，寶貝，你知道嗎，我們收到茱莉亞的通知了，你沒有考上。不過無所謂，我們本來就沒有預期今年可以考上，很多人第一次都沒有考上。現在我們知道下一次要怎麼準備了。」

　　我受不了露露臉上掠過的神情。有那麼一剎那我以為她的眼淚就要掉下來，可是後來便明白她絕對不會哭。我心想，我怎麼能害她這麼失望？投入準備考試的那些時間，現在反而成為我們記憶中的大汙點了。我以後要怎麼才能要她練習——

「我很高興我沒有考上，」露露打斷了我的思緒。她看起來有點生氣了。

「露露，爸爸和我非常驕傲──」

「哎呀**別說了**，」露露打斷我的話：「跟你說了──我不在乎。是你逼我去考的，我討厭茱莉亞。很高興我沒有考上。」她又說了一次。

若非第二天接到田中生子老師打來的電話（打電話來的人有一堆），我真不知道接下來要怎麼辦。田中老師說，她認為露露那天演奏得非常好，表現出很特別的音樂性，她自己是對錄取露露投贊成票的。她並且解釋，這一年小提琴先修班的名額縮減了，粥少僧多，所以和往年比，想要考取更是難上加難。我正想感謝田中老師體貼的來電，她就跟我說，她私人的音樂教室可以收露露為徒。

我愣住了。田中老師個人的音樂教室是出了名的高門檻，幾乎不太可能進得去。我的精神為之大振，同時快速思考。我真正想要的其實就是幫露露找一位好老師，對先修班的課程倒不是那麼在意。我知道投在田中老師門下表示每個週末都得開車到紐約市，而且我也不太確定露露對此事會有什麼反應。

可是我當場便替露露答應了。

♥露露和蘇菲亞在老李斯特音樂學會登臺

22. 走紅布達佩斯

　　經歷過考朱莉亞音樂院之前的苦練、食物中毒和落榜通知這些折騰之後，你可能以為我會讓露露放鬆一下。或許是該這麼做才對，可是兩年前的我還年輕，並沒這麼想。我覺得放鬆發條就是把露露給看扁了，雖然這麼做比較簡單（在我看來這是西方人的做法）。我反而把壓力加得更大。這是我有史以來頭一次付出慘痛的代價，然而，後來付出的代價甚至更大。

　　蘇菲亞在卡內基音樂廳演奏會上有兩位非常重要的貴賓，歐斯卡和克莉絲汀娜·波哥尼。這對匈牙利夫婦是我娘家的老朋友，當時他們正好在紐約。歐斯卡是位傑出的醫師，也是我

爸爸的好友。他的妻子克莉絲汀娜以前是鋼琴演奏家,現在積極投入布達佩斯樂壇的工作。蘇菲亞的演出結束後,克莉絲汀娜快步走過來,對蘇菲亞讚不絕口。她非常喜歡蘇菲亞彈的〈少女茱麗葉〉,並說蘇菲亞靈氣十足。

克莉絲汀娜說,布達佩斯不久就要辦「博物館之夜」活動,市內所有的博物館都會舉辦演講、表演以及音樂會;只要花一張票的錢,大家就可以「不斷換博物館」玩到半夜。李斯特音樂學會到時候也會辦多場音樂會,而克莉絲汀娜認為辦一場以蘇菲亞為主的「美國音樂天才」音樂會,肯定會大受歡迎。

這個邀請令人怦然心動。布達佩斯是個著名的音樂城,不但是李斯特,也是巴爾托克(Béla Bartók)、高大宜(Zoltán Kodály)的家鄉,據說令人驚艷的國家歌劇院音響效果僅次於米蘭史卡拉歌劇院。克莉絲汀娜提議舉辦音樂會的地點是老李斯特音樂學會,那是一座雅致的三層樓新文藝復興時期的建築,以前是學會創辦人及理事長李斯特的住處。老音樂學會(一九○七年被位於幾條街之外的新音樂學會取代)現在成了一座博物館,展出的都是李斯特使用過的樂器、家具和樂譜手稿。克莉絲汀娜告訴蘇菲亞,她到時候會用一架李斯特的鋼琴

演奏！還有，觀眾會非常多──這可是蘇菲亞第一次的售票演出呢。

可是我有一個疑慮。蘇菲亞在卡內基音樂廳演出之後，這麼短的時間內又要做一次大型表演，成為矚目的焦點，露露會怎麼想呢？露露對田中老師要收她為徒感到很高興；我沒想到露露當下立刻說她要去。然而這只消除了一點點茱莉亞落榜的刺痛。更糟的是，當初沒有想到去考試這件事要保密，所以事後好幾個月，露露要一再應付大家的詢問：「放榜了沒？我相信你一定考得上的。」

中國家長非常不擅長處理失敗，因為中國式的教養根本就不能忍受這個可能性。中國的教養模式只有一個，就是設法成功，在這個目標下，自然形成了「信心、努力、獲得更多成功」這個良性循環的運作方式。我知道我必須趁早確保露露達到這樣的成功，和蘇菲亞同等程度的成功，否則就來不及了。

於是我擬定計畫，並且請我母親擔任中間人，打電話給她的老友克莉絲汀娜，告訴她露露在小提琴上的表現：包括她在潔西·諾曼面前演奏的經過，其後又是如何演奏給著名的小提琴老師瓦摩絲聽，而他們兩人都說露露的天分很高。還有最後露露如何被茱莉亞音樂院一位世界著名的老師看中，私下收為

徒弟。我要我媽試探一下讓露露與蘇菲亞在布達佩斯表演二重
奏的可能性，就算只有一首曲子都好。我要我媽提議，或可讓
她們合奏巴爾托克的羅馬尼亞舞曲，這首曲子她們兩個最近才
表演過，而且我知道這提議可打動克莉絲汀娜，因為巴爾托克
就像李斯特一樣，也是匈牙利極為有名的作曲家，他的舞曲非
常受大眾歡迎。

運氣真好，克莉絲汀娜見過露露，也喜歡她那強烈的個
性，所以她告訴我母親很喜歡這個姊妹合奏的構想，而且羅馬
尼亞舞曲也很適合加在節目裡。克莉絲汀娜說，一切都由她
來安排，她甚至還會把這個演出的廣告改為「美國天才姊妹
花」。

兩個女兒的音樂會訂在六月二十三日，就在一個月之後，
所以我得快馬加鞭。要做的事情實在太多。我跟我媽說兩個女
兒最近表演過羅馬尼亞舞曲其實是誇張了，因為我所謂的「最
近」已經是一年半以前。為了複習這首舞曲而且演奏到位，我
陪兩個女兒成天練習。同時蘇菲亞也狂練惟誼幫她選的樂曲，
有布拉姆斯的G小調狂想曲、一首中國女作曲家的作品、普羅
高菲夫的《羅密歐與茱麗葉》鋼琴小品，當然，還有李斯特那
首著名的匈牙利狂想曲。

雖然蘇菲亞的曲目很難，但我真正擔心的是露露，因為我全心全意要她一鳴驚人。我知道我父母到時候會去聽音樂會。這實在很巧，因為我爸爸要加入匈牙利科學會，所以六月本來就要去布達佩斯。此外，我也不想讓克莉絲汀娜失望。最重要的是，我要露露為她自己好好演奏。這就是她所需要的，我心想，只要她表現得好，就會信心大增而且引以為豪。我必須處理露露的抗拒心理，因為我答應過她考完試不論結果如何都會讓她休息，而今卻食言。可是我還是咬緊牙關投入戰鬥，實在分身乏術時，就僱請琦媛和萊希助我一臂之力。

　　我經常被問到一個問題：「美兒，請教你一下，你做這一切是為了——你的女兒（說到這裡時總是把頭歪向一邊，一副了然於胸的語氣），還是**你自己**？」我發現這是一個非常西方的問題（因為以中國人的思考方式來說，孩子就是自己的延伸），但這並不表示這個問題不重要。

　　我的回答是，我做的每一件事，的的確確、百分之百都是為了兩個女兒，而證據就在於：我陪女兒做的大部分事情對我而言都是苦不堪言、累死人的，而且一點也不好玩。讓孩子在不想練琴的時候練琴，在自己的青春悄悄溜走之際還累分分的苦戰，在孩子害怕自己做不到時，說服他們、讓他們認為自己

做得到，絕非易事。我經常問兩個女兒：「你們知道你們讓我少活多少年嗎？」然後又說：「算你們運氣好，我的耳垂那麼大，表示我很長壽。」

老實說，我有時候也想知道，「你做這件事到底為的是誰？」這個問題是不是也應該拿去問一問西方的家長。有時候我早上醒來時，想到要做的事就怕，也巴不得這麼說：「當然可以，露露，我們可以一天不練琴。」可是我永遠不可能像我的西方朋友那樣，說：「雖然這麼做簡直像殺了我，但我還是得讓孩子自己做決定，做自己想做的事。天底下沒有更難的事了，可是我盡量不讓自己插手。」然後他們給自己倒杯酒喝，再去上瑜伽課；而我則必須待在家裡鬼吼鬼叫，惹人厭煩。

前往布達佩斯的前幾天，我發了一封電子郵件給克莉絲汀娜，問她有沒有認識哪位有經驗的音樂老師，可以和兩個女兒把這首羅馬尼亞舞曲奏一次，當作是彩排，或許也可以提供些訣竅——怎麼樣才可以把匈牙利作曲家的樂曲演奏得好。克莉絲汀娜回信告訴我好消息，有位傑出的東歐小提琴老師（姑且稱之為卡辛吉夫人）慨然同意見兩個女孩。卡辛吉夫人前不久才退休，現在只教最有天分的小提琴手。她在我們到達的那天剛好有個空檔，我立刻把握住機會。

我們是在音樂會的前一天到達布達佩斯的，住進旅館時差不多早上十點，紐哈芬的清晨四點，每個人都昏昏沉沉的，眼皮都睜不開。傑德和露露都在頭痛，兩個女兒只想倒頭大睡，我也不太舒服。不幸的是去卡辛吉夫人那裡上課的時間到了。我們已經收到兩通電話留言，一通來自我爸媽，另一通是克莉絲汀娜打來的，告訴我們在哪兒會面。我們四個人腳步蹣跚的上了計程車，短短幾分鐘後到達新音樂學會，那是一棟富麗堂皇、有著宏偉柱子的新藝術大樓，面對著李斯特廣場，幾乎占據了半個街區。

　　卡辛吉夫人在樓上一間大房間和我們見面。我父母以及笑容可掬的克莉絲汀娜已經到了，三人坐在靠牆的椅子上。房內有一架老舊的鋼琴，克莉絲汀娜示意蘇菲亞到鋼琴那兒去。

　　平心而論，卡辛吉夫人給人非常緊張的感覺。一副丈夫移情別戀還把所有財產轉到國外的樣子。她顯然服膺嚴格的俄羅斯派音樂教學方式，沒有耐性、要求嚴苛、絕不容忍她認為的任何錯誤。露露還沒有開始拉半個音，她就大吼：「不對！怎麼搞的！你的琴弓怎麼會這麼拿？」兩個女兒開始演奏後，她每兩個音就要露露停下來，一面走來走去，大動作的指手劃腳。在她看來，露露的指法不合章法，而且錯得離譜，她命令

露露改正，儘管第二天就要表演了。她並且不斷轉向鋼琴斥責蘇菲亞，忘了她的注意力主要應該放在露露身上。

我有一種不祥之感。我看得出來露露覺得卡辛吉夫人的命令不合理，她的斥責有欠公平。露露愈生氣，拉得就愈僵硬，而且愈不能專注。她的樂句愈來愈糟，接下來音準也出問題。糟糕，我心想，要爆發了。果然，露露一臉怒氣，停下不拉了，也不理卡辛吉夫人怎麼說。卡辛吉夫人氣急敗壞，太陽穴暴出，聲音變得更尖銳。她用匈牙利語跟克莉絲汀娜劈哩啪拉說了一堆。看到她和露露的距離愈來愈近，我實在擔心，而且在數落露露的不是之際，還一面戳她的肩膀，甚至用鉛筆啪的一聲敲打露露的手指。

露露怒火中燒。若是在家的話，她早已當場爆發，可是在這裡她拚命忍住。卡辛吉夫人再度揮舞她的鉛筆。兩分鐘後，一個段落演奏到一半，露露說她要去上洗手間，我連忙起身跟她一起走到大廳，她猛的轉到一個角落便開始號啕大哭。

「我不要回去了，」她吼說：「你不能逼我。那個女的瘋了——我討厭她，我**討厭她**！」

我不知道該如何是好。卡辛吉夫人是克莉絲汀娜的朋友，而我爸媽也還在那個房間裡。這堂課還有三十分鐘，而大家都

在等露露回去。

　　我試著跟露露講道理，提醒她，卡辛吉夫人是因為知道她天分非常高，所以才會這麼嚴格。（「我才不在乎！」）我承認卡辛吉夫人不善於溝通，可是我說，我覺得她的用意是好的，並央求露露再給她一次機會。（「我不要！」）我好話說盡後開始責備露露，說她對克莉絲汀娜有責任，因為克莉絲汀娜特地安排了這堂課；她對外公外婆也有責任，假如她不回去，他們會嚇壞的。「這件事不只是關係到你而已，露露。你必須堅強起來，找出一個方法上完這堂課。每一個人要忍受的事情都很多，露露，你可以忍的。」

　　她還是不肯，這讓我很為難。卡辛吉夫人再不合理，她畢竟仍是老師，是個權威，而中國人從小就學習要尊重權威。不論如何，就是不能跟父母、老師、長輩頂嘴。最後，我只好一個人回到房間，連連道歉賠不是，謊稱露露在跟我嘔氣，然後我就讓蘇菲亞（她也不太喜歡卡辛吉夫人，何況又不是她要拉小提琴）一個人上完剩下的課程，裝模作樣的記錄二重奏的要訣。

　　回到酒店之後，我大聲罵露露，後來又和傑德吵了一架。他說他不怪露露離開，而且她離開可能還比較好一點。他說，

露露才剛結束茱莉亞的考試，又有時差，而且還被陌生人用鉛筆打。「卡辛吉夫人在音樂會的前一天還想要改變露露的指法，豈不是有點奇怪？我覺得你不該罵她。」他說：「也許你該試著多同情露露一點。美兒，我知道你用心良苦，可是你如果不注意，可能會得到反效果。」

我知道傑德說得沒錯，可是我無暇他顧。我必須把全副精神放在音樂會上。第二天，我對兩個女兒仍然非常嚴厲，在新學會的兩間琴室之間跑來跑去。

不幸的是，雖然過了一個晚上，但是露露對卡辛吉夫人的怒氣不減反增。我看得出來她滿腦子都被這件事占滿了，火氣愈來愈大，沒辦法專心練習。當我要她練習某個段落時，她忽然衝口說：「她根本不知道自己在說什麼——她要求的指法太離譜了！你有沒有發現她說的話一直在自相矛盾？」或是：「我覺得她根本不懂巴爾托克；她的詮釋真可怕——她以為她是誰啊？」

我告訴露露，她不能再浪費時間去想卡辛吉夫人了。她說：「你從來就不替我講話。我今天晚上不去表演了，我已經沒有興趣，完全被那個女的破壞了。就讓蘇菲亞一個人去表演。」我們就這麼鬥了一個下午，我已經黔驢技窮。

最後，我想是克莉絲汀娜挽救了這個局面。我們到達老音樂學會時，克莉絲汀娜快步走過來，滿面笑容、熱情洋溢。她興奮的擁抱兩個女孩，送她們一人一個小禮物，說：「我們真高興你們能來，你們兩個都那麼的有**才華**」（talented，她把重音放在第二個音節）。克莉絲汀娜邊搖頭邊若無事的說，卡辛吉夫人不應試圖改變露露的指法，她一定是忘了演奏會就在第二天吧。「你實在非常有**才華**，」她又對露露說一遍：「這場表演一定會很精采！」然後就把她們匆匆帶開，到後面一個房間跟她們順一下流程。

一直到開場前一秒鐘，我都還不知道事情會如何發展——會是一個女兒還是兩個女兒在臺上演出。然而奇蹟出現，露露出現在臺上，而且演出空前精采。匈牙利的觀眾既和善、又不吝於表達讚美，起立鼓掌好久，兩個女孩謝幕了三次。博物館館長還邀請她們以後再前往表演。演出結束後，我們邀克莉絲汀娜和她先生、我父母，還有搭飛機趕來的賽與海瑞兒一起去吃晚餐慶功。

可是在那次演出之後，有些事不一樣了。就露露而言，那次和卡辛吉夫人的嚴重衝突背離了她的是非觀念，也使她受不了中國人那套規矩。如果做中國人的意思就是必須忍受像卡辛

吉夫人這樣的人，那麼她敬謝不敏。她也試探了不按照老師和媽媽的要求去做會有什麼後果，結果天並沒有塌下來，而且贏的人是她。後來就連我父母也站在露露那邊，雖則他們是灌輸我所有傳統觀念的人。

　　就我而言，我覺得有什麼東西鬆動了，就像是錨的纜繩解開了。我不再那麼能掌控露露。絕對沒有哪個中國女兒會有像露露那樣的舉動，絕對沒有一個中國媽媽會容許這種事發生。

第三部

老虎有能力給予無私的愛，

只是他們太認真了。

他們的地盤觀念和占有慾也都很強。

擁有無上權威的老虎經常是孤獨的，

那是他們必須付出的代價。

♥我那兩隻美麗的雪犬

普希金

「哪一隻是我們的？」傑德問。

二〇〇八年八月的一天，我和傑德去羅德島。因為某些無人能解（包括我自己）的原因，我堅持要養第二隻狗，於是我們就去找當初賣給我們可可的那個飼主。在一間舖著木地板的簡陋房間裡，我們看到三隻氣宇軒昂的大型薩摩耶犬踱來踱去。聽說其中那兩隻自豪的狗爸狗媽最近剛生下一窩小狗，而第三隻則是狗爺爺，已經六歲，看來世故而權威。在牠們周圍打轉的是四隻叫個不停的小狗，個個都像坨可愛的小棉球。

「你們的狗是那邊那隻，」飼主說：「在樓梯下面。」

　　我和傑德轉身，看到一隻狗孤零零的站在房間另一頭，看起來和其他的小狗很不一樣。她比較高、比較瘦、毛比較少，也比較沒那麼可愛，而且後腿比前腿長兩吋，以致身體有點傾斜，看來怪怪的。她的眼睛細窄而且非常斜，耳朵古怪的隆起，尾巴比其他的狗長，而且毛也比較密，可是或許因為尾巴太重的關係，所以沒有捲起來，反而像老鼠尾巴一樣晃來晃去。

　　「你確定那是一隻狗嗎？」我懷疑的問。這個問題其實沒有聽起來那麼荒謬。如果真要說的話，這隻狗看起來像隻小綿羊，何況飼主在她家空地上養了些農場動物，所以小綿羊是有可能晃啊晃的就進了屋子。

　　可是飼主確定那是隻狗。她跟我們眨了眨眼睛說：「你們以後就知道了，她長大以後會是個大美女，因為她有薩摩耶犬高高的屁股，就像她的奶奶那樣。」

　　我們把這隻新買的狗帶回家，幫她取了個男生的名字「普希金」——簡稱普希。我們的家人和朋友頭一次看到她時，都替我們感到遺憾，因為普希就像隻兔子那樣跳啊跳的，還會被自己的腳絆倒。「你可以把她退回去嗎？」我媽有一次看到普希一頭撞上牆壁和椅子時這麼問。「我知道問題出在哪裡了。

她眼睛看不見。」傑德有一天恍然大悟，然後火速送她去看獸醫，但醫師說她的視力一點問題也沒有。

普希愈長愈大，但是動作依然笨拙，常常在下樓時摔了個狗吃屎。她的身體很長，可是她好像控制不好自己的後半身，所以走起路來活像電影《玩具總動員》裡的那隻彈簧狗。同時，她的身體柔軟得出奇。直到今天，她睡覺的時候都還是喜歡攤開四肢，把肚子貼在冰涼的地上，感覺就像是被人從天上扔下來，啪噠的一聲摔在地上。事實上，我們看到她那副德行時，都會叫她「啪噠」。

有一件事那個飼主說得還真是沒錯。普希原本是隻醜小鴨，但是不出一年便搖身成為一隻神氣得令人側目的狗，我們走在路上時，往來的車輛每每突然停下來，驚奇的看著她。她的塊頭比可可大（可可其實是普希的孫姪女，因為育種的介入，普希反而晚出生），有一身雪白的毛和奇特的貓眼，潛伏的肌肉已經清楚成形，因為她的尾巴現在高高捲起在背上，彷彿一根巨大蓬鬆的羽毛。

可是就資質而言，普希堅持停留在最低階。可可的資質已經不怎麼樣，可是和普希比起來，她簡直就是個天才。不知道是什麼緣故，普希雖然比可可溫柔可愛，但是一般狗會做的事

她都不會做。她不會撿球，也不喜歡奔跑，還不斷被卡在一些奇怪的地方，像是水槽底下、漿果樹叢，或在浴缸半進半出，得靠別人幫忙脫困。起初我否認普希有什麼異於平常之處，花了好多時間設法教她一些本事，但都徒勞無功。怪的是，普希好像喜歡聽音樂，她最愛做的事情就是坐在蘇菲亞的鋼琴旁邊，隨著蘇菲亞的琴音唱歌（或者用傑德的說法，是號叫）。

儘管普希有這些缺點，但是我們全家都愛死她了，就跟愛可可一樣。說實在的，她的這些缺點正是她討喜之處。她設法跳進某個東西裡，卻功敗垂成時，我們就會柔聲說：「哎唷——，可憐的傢伙！怎麼那麼可愛哩！」然後趕過去安慰她一番。或者我們會說：「哎呀——，你看看，她看不到飛盤呢！真是太——可愛了。」可可剛開始對這個新來的姊妹懷有戒心，我們看到她謹慎的測試普希。和可可比起來，普希沒那麼多情緒，可說是胸無城府。她滿足又友善的像隻跟屁蟲似的跟在可可後面，而且會避免任何需要靈活度的動作。

儘管普希那麼可愛，但是我們家絕對沒道理再養第二隻狗，這一點我比誰都清楚。家裡養狗的責任百分之九十落在我身上，另外三個人只需分擔剩下的百分之十。每天從早上六點開始，餵狗、蹓狗、跟在後面清大便的人是我；帶狗去受所有

訓練、看獸醫的人也是我。更慘的是，我的第二本書才剛出版，除了學校教課滿檔、陪兩個女兒練琴，我還得經常飛到美國各城市演講。但我總是會找出辦法把到華府、芝加哥或是邁阿密的行程壓縮在一天之內，而且不止一次在凌晨三點起床，飛到加州，在午餐會發表一篇演講，再搭夜班機回家。「你在想什麼啊？」有幾個朋友會問我：「你的事情夠多了，還養第二隻狗做什麼？」

我的朋友安妮認為我之所以會這麼做，有個傳統的原因。她說：「我所有的朋友在子女長到青少年的年紀時，就準備迎接空巢期。狗是兒女的代替品。」

安妮的說法十分有趣，因為中國式教養和養狗完全是兩碼事。只看一點就好了：養狗有社交功能，遇到其他狗主人時會有很多話可聊。反之，中國式教養寂寞無比，至少如果你是在西方國家養兒育女的話，就得自求多福。你必須和整個價值體系對抗（這個體系根植於啟蒙運動、個人自主、兒童發展理論，以及世界人權宣言），沒有人可以和你敞開心胸討論，就算是你喜歡而且非常尊敬的人也不行。

舉例來說，蘇菲亞和露露小的時候，我最怕的就是有家長邀她們去家裡玩。為什麼、為什麼、為什麼西方人有這種可

怕的習俗？我有一次想說實話，向另一位媽媽解釋露露沒有空閒的時間，因為她要練小提琴。可是那個人聽不懂，我只好搬出西方人覺得合理的藉口，像是看眼科醫師、做物理治療、社區服務。幾次下來，那位媽媽開始對我冷冰冰的，而且一臉委屈，好像我認為她女兒不配跟露露玩似的。這真是世界觀的衝突啊。我躲過了一次邀約，沒想到立刻又來了另一個。「那星期六可以嗎？」──星期六是露露到紐約上田中老師的課的前一天。「還是下下星期五？」從西方媽媽的觀點來看，簡直無法理解露露怎麼可能每個星期六下午都有事情，而且連續忙一整年。

養狗與中國式教養的方式還有一大差別。養狗很簡單，只需要耐心、愛心，可能剛開始再投入訓練的時間就好；反之，中國式教養卻是我所能想得到的最難的事情之一，因為有時候必須被你所愛、而且希望他也愛你的人討厭，而且絕對沒有鬆懈以及突然變簡單的時候。正好完全相反，中國式教養是一場永無止境的艱苦戰鬥（至少在美國採取中國式教養困難重重），需要投入一星期七天、每天二十四小時，要有韌性，還要會使詐。你必須能夠拋下面子，還要能靈活運用戰術、發揮創意才行。

舉個例子，去年我請了幾個學生到家裡來參加學期末的聚會，這是我最喜歡做的事。「你對你的學生都好好，」蘇菲亞和露露總是說：「他們都不知道你的真面目，還以為你很會照顧和幫助人哩。」兩個女兒這一點倒是說對了，我對待法律系的學生（尤其是有嚴格的亞洲父母的）和對待我女兒的方式完全相反。

　　那一次聚會是在我家三樓的乒乓球室舉行的，露露平常都在那裡練琴。一個名叫羅南的學生看到一些我留給露露的練琴注意事項。

　　「這到底是什麼——？」他難以置信的唸著那些紙條：「蔡教授，這是你——**寫的**嗎？」

　　「羅南，可以請你放回去嗎？對，是我寫的沒錯。」我沒得選擇，只好照實說：「我每天都留類似的指示給我練小提琴的女兒，幫助她在我不在的時候練琴。」

　　可是羅南置若罔聞。「天哪——那麼多，」他不敢相信的說。可是他說得沒錯，還有幾十張我忘了藏起來的指示擺在四周，有些是打字的，有些是手寫的。「真不敢相信，這些東西實在是太——**奇怪**了。」

　　我並不覺得這些指示有什麼好奇怪的，你看了就知道。下

普 希 金

23.

面有三張我每天寫給露露的練琴注意事項，都是原貌。那些奇奇怪怪的標題不用理會，因為那是編出來引露露注意的。順便說一下，第二張紙的「m.」意思是「小節」──對，沒錯，我是一個小節一個小節的給她指示。

鬆獅犬勒伯夫

設施一

只要55分鐘！

露露！！！你做得很好。運弓時要**輕一點**！！輕點兒！！！！**再輕點兒**！！！

「阿波羅」任務：小提琴要夾穩，要不必靠手也能穩住不動，即便是難的地方也一樣。

15分鐘：**音階**。手指抬高、放鬆。右手**放鬆**，讓弓拉出歌唱般的聲音。

15分鐘：Schradieck練習曲：（1）手指再抬高一點、放鬆一點。（2）注意手的位置，小指頭一定要立起來。先對著節拍器從頭到尾拉一次，再練習難的部分，每段練

二十五次，然後在把全曲練一遍。

15分鐘：克羅采（Kreutzer）八度音程練習。選**一個**沒練過的，先放慢——**注意音準**——練兩次。

今天的挑戰：

10分鐘：克羅采練習曲第三十二首。對著節拍器**自己**試一遍。速度放**慢**。弓要放鬆。假如你能這樣做，你就太棒了！

羅斯波波斯迪麥可納瑪拉
布魯赫協奏曲

目標：（1）**小提琴抬高**！尤其是在拉和絃的時候！（2）每個音的**清晰度**——特別是「小」音符要清楚、明亮——手指頭要更快、更放鬆（再立起來一點）（3）要分樂句；強弱變化要明顯——弓速從慢變快。

練習

第七頁

開頭兩小節：mm. 18 & 19：

（a）拉和絃時弓壓只要一半但弓速加快。手肘不要抬高。**小提琴不要晃動！**

（b）練習小音符（da da dum），讓這些音聽起來更清楚——手指頭按絃及放開的速度要再加快。

m. 21：（a）三連音——每個音練二十五次！

（b）八分音符要更清楚——練習！！手指頭按絃之後要**放鬆**！

mm. 23–26：跟前面一樣，拉和絃的弓壓減半，聲音要更清楚明快，十六分音符的手指要快一點。

mm. 27–30：**重要**：這一行拉得太重了，而且你的琴會往下掉！拉雙音和絃時弓要放得很鬆。每個音要更清楚。第二次要**做得再多一點**。

m. 32：按絃之前手指頭再抬高一點，按絃之後放開得再快一點。手在忙的時候，琴和你的頭不要跟著晃動。

m. 33：弓速加快，再放鬆一點！手要像畫圓一樣快速回到弓根！

m.40：這個和絃拉得太重了！弓壓減半，琴抬高！每個短音都要清楚。

m.44：這個和絃的強弱雖然比前面強，還是要輕快──弓速更快一點！

mm.44–45：手和手腕放鬆

mm.48–49：拉得更活潑輕快一點！手指加快、放鬆！手指頭要站好，但是也要放鬆！

m.52：每個音要清楚！

mm.54–58：每一個音用的弓都要再多一點！要愈來愈振奮！

m.78：手指頭抬高一點！不要按太緊──指頭保持放鬆！

m.82：確實做出漸強，弓速要從慢變快！接著漸弱，然後做出很大的漸強。第一回是**泰勒絲**（Taylor Swift），第二回是**女神卡卡**（Lady Gaga）！！第三回是**碧昂絲**（Beyonce）！

m.87：音樂要照著樂句往前走（音形往上的時候漸強，音形往下的時候漸弱）。

第九頁

mm. 115–116：弓先用少一點，高音A要用很多弓。音樂要往前走！

m. 131：要漸弱！

mm. 136–145：真的要做出來（音形向上時漸強、用的弓更多，音形向下時漸弱）。把拉不準的音挑出來練，各練五十次。

mm. 146–159：恬靜，但每個音仍要清楚。

mm. 156–158：保持漸強。

mm. 160–161：每個音要清楚。

第十頁

m. 180：多練一下起頭的那一串音。音樂要往前走！弓速從慢開始，然後變快，高音B最快！

mm. 181–183：注意每個音的清晰度——指頭要快、要放鬆！

m. 185：雙音和絃的弓速放慢一半——輕巧一點！小音符（da da dum）要更清楚——指頭要更快。

mm. 193–195：練習移指——移到確切的位置！練五十

次。

m. 194：從弱音開始，然後確實做出漸強！

m. 200：把音背起來──練習三十次。

m. 202：練習和絃──手按絃的位置要精準──注意音準！

m. 204：手要非常柔軟，手腕放鬆！

無畏的精選──嗨！溪流
孟德爾頌！

諾瓦切克（Nováček）：無窮動

<u>第二頁</u>

開頭：

　＊漸強的地方，愈來愈有活力！

　＊還有，有三次漸強，三次都要不同──最後一次或許可以少一點。

　＊第二行最後一小節是**不同的和聲**──所以把它做出來。

第三行：屬於旋律線的音要強調，陪襯的重複音要小聲。

然後繼續漸弱。

第四行：重要的音一定要用更多的弓去拉。

第五行：突強音要特別強調出來。

第六行：有很多A音！真是單調乏味──所以這些音要小聲一點，讓其他的音凸顯出來。

第七行：一大段跨兩個八度的音群──開始時少一點，然後做一個大大的漸強！

第三頁

第五行：在強音f的地方，要用到幾乎全弓──聽起來要是振奮的！──然後再漸弱到很小聲

第六～七行：跟著音形走──先很小聲，然後突然在f爆開來！

第八～九行：一樣──先小聲，然後突然在f爆開來！

第十行：強調上面兩個高音，下面的音比較不重要。

孟德爾頌

開頭：

行板──稍微快一點

拉的時候要非常放鬆、親密，就好像你的身旁只有幾隻睡

著的狗。

同樣的音形出現兩次，接著的第三次要帶出來——要多唱一點！

第四行：現在，音樂的氣氛變得稍微緊張不安。**其中一隻在睡覺的狗是不是生病了？**

第五行：累積到最高音的能量要再多很多！然後逐漸回到柔和，像開頭時那樣的放鬆。

中段：

音樂性百分之百不同——**是可怕的！**

弓速要**非常快**！能量要多很多！有些地方要用到**全部**的弓。

弓速要改變！！

最後三行，一點一點往上，所以剛開始用的弓要少——每次**增加**4公分。

倒數第二行：先弱，然後強！做出神經緊繃的音樂性！

第十一頁，第一行：要更強烈！漸強到高點！！

這種紙條我有好幾百張，也說不定有好幾千張。寫字條的由來已久。女兒小的時候，我因為講話往往太嚴厲，所以就會在各個地方留一些小紙條給她們，放在她們的枕頭上、便當袋裡、樂譜上，說些諸如此類的話：「媽媽脾氣不好，可是媽咪愛你！」或是「你是媽咪的小寶貝！」

對狗，就用不著做這樣的事情，就算做了，她們可能也搞不懂，尤其是普希。

我那兩隻狗什麼也不會做——真是教人鬆一口氣。我對她們毫無所求，也不試圖去塑造她們，或打造她們的未來。就絕大部分情形而言，我相信她們可以為自己做出正確的選擇。我總是期待見到她們，而且很喜歡看著她們睡覺。這種關係真是美好啊。

♥露露十三歲時

24. 叛逆

　　中國人的良性循環在露露身上行不通，這我就搞不懂了。一切似乎都照著計畫在走，露露如同我一直以來的夢想，在各方面都很出色，我付出的代價不菲，但我在所不惜。經過幾個月緊鑼密鼓的練習，和少不了的爭吵、威脅、對吼、尖叫之後，露露如願考上夙負盛名的青年管絃樂團的樂團首席，儘管她年僅十二歲，比大部分團員都來得小。她獲得康乃狄克州「神童」獎並且上了報，在學校每一科成績都拿A，法語和拉丁語朗誦比賽又都獲得冠軍。然而她並沒有因為成功而產生自信、感謝父母，然後再接再厲。正好相反，露露開始反叛，不

只是不練琴，還和我所主張的一切唱反調。

回想起來，我覺得這個情形是從露露六年級開始的，只是當時我沒有悟到。露露最討厭的一件事就是我強行把她從學校帶走，以增加一些練琴的時間。我因為覺得露露在學校浪費很多時間，所以一星期總會寫幾次字條給老師，說她快要在獨奏會上演出，或參加術科考試，請老師同意讓她在午餐時間或體育課時離開學校。有時候午餐時間、兩次下課、再加上音樂課（學生演奏牛鈴）或是美術課（為萬聖節園遊會布置攤位）的時間，可以湊出兩個小時。我看得出來我每次出現在露露的學校，她都很怕看到我，而她的同學則都奇怪的看著我，可是當時她才十一歲，所以我還是可以強迫她接受我的安排。而且我很確定，就是因為有那些額外的練習，露露才能榮獲所有那些音樂獎項。

我這邊也不容易。有時在辦公室和學生談事情，突然就要以開會為由開溜，衝到露露的學校接她，再衝去琦媛的公寓把她放下，接著衝回辦公室，因為還有一堆學生在等著我。半小時後，我又得藉故離開，把露露送回學校，然後飛車回辦公室開三小時會。我帶露露去琦媛那裡而不自己監督她練習，是因為我覺得她不會排斥琦媛，當然更不會跟她爭吵。再怎麼說，

琦媛畢竟不是自家人。

有一天下午，我把露露送到琦媛那兒十五分鐘後就接到琦媛打來的電話，聲音聽起來很激動又很挫敗的樣子。「露露不想練琴，」她說：「也許你還是來接她比較好一點。」我趕到那裡，忙不迭的向琦媛道歉，喃喃說了些露露因為睡眠不足所以很累之類的話。原來露露不只是不肯練琴，她還對琦媛很不禮貌、頂嘴、質疑她的建議。我覺得非常丟臉，回到家狠狠訓了露露一頓。

可是情況愈來愈糟。每次我去學校接露露，她就會沉下臉轉身說她不想離開學校。好不容易到了琦媛那裡，有時候她卻不肯下車。就算我終於讓她進了琦媛的家門，時間也只剩下二十分鐘，而且她不是不肯練習，就是奏得亂七八糟、走調、沒有感情。有時還會故意惹琦媛生氣。先是慢慢的激怒她，再裝做無辜地問：「怎麼了？你還好吧？」讓人氣炸。

有一次，琦媛不經意脫口說出，她的男朋友艾倫有一次看到兩人上課的情形，後來說：「如果我有女兒的話，絕對不會准她這樣——完全沒大沒小。」

我感覺好像一巴掌打在我臉上。艾倫一向喜歡露露，而且是一個很隨和的人。他是在最自由、最包容的西方家庭長大

的，小孩不會因為蹺課或做自己想做的事而受罰。然而他卻在批評我的教養方式，批評我女兒的行為，而且，他說得一點都沒錯。

約莫這個時候，露露開始跟我頂嘴，而且會在我父母來訪時，當著他們的面公然頂撞我。這種事情在西方人聽起來好像沒什麼大不了，但在我們家這就像是褻瀆廟宇一般。事實上，這已經超出我們能接受的範圍，所以沒有人知道該怎麼辦。爸爸把我拉到一旁，偷偷勸我別再讓露露學小提琴了。我媽媽和露露很親（兩人還是伊媚兒的筆友），她開門見山地說：「美兒，你不要這麼固執。你對露露太嚴格——太過頭了。你將來會後悔的。」

「你為什麼把矛頭對著我？」我反擊回去：「你以前就是這麼教我的啊。」

「你不能做爸爸和我以前做的事，」我媽回答：「因為時代不同了。露露不是你，也不是蘇菲亞。她的個性不同，逼不得的。」

「我是照中國人的方式做，」我說：「效果比較好。我才不在乎有沒有人支持我，你們全被你們的西方朋友洗腦了。」

我媽只是搖搖頭。「我告訴你，我很擔心露露，」她說：

「她的眼神不對。」這句話比什麼都教我難過。

　　我們不僅不在良性循環，而且是每下愈況的惡性循環。露露十三歲以後，日益疏遠我，而且憤恨不滿，臉上常一副無動於衷的表情，老是把「不要」或「我才不在乎」掛在嘴上。她排斥我那「要活得有價值」的看法。「為什麼我不能像大家一樣跟朋友出去玩？」她會質問：「你為什麼那麼反對去大賣場？我為什麼不能去別人家住？為什麼我的每一秒鐘都要填滿你叫我做的事？」

　　「露露，你是樂團首席，」我回答：「他們給你這個很高的榮譽，所以你負有很大的責任。整個樂團都要靠你。」

　　而露露會這麼回答：「我為什麼要活在這個家裡？」

　　怪就怪在露露其實非常喜歡管絃樂團。她在那裡有很多朋友，她喜歡當樂團首席，而且與指揮布魯克斯先生極為投緣。我看到她在練習時和大家鬧著玩，笑得意氣風發——或許是因為練習時沒有我在場吧。

　　這時我和傑德的爭執也愈來愈多。私下他會怒氣沖沖的要我約束一下自己，或是別再對「西方人」和「中國人」發表什麼以偏概全的奇怪言論。「我知道你自以為批評別人是為了別人好，這樣他們才能改善，」他會譏諷地說，「可是你有沒有

想過你這麼做只會讓人感覺很差？」他最嚴厲的批評是：「你為什麼一定要在露露面前說蘇菲亞有多好多好？你覺得露露會怎麼想？你難道還搞不清楚狀況嗎？」

「我不願意為了『保護露露』，而不給蘇菲亞她應得的讚美。」我對保護露露這四個字用極盡諷刺的口氣：「我這麼說，露露知道我認為她和蘇菲亞一樣好。她不需要我特別做什麼去肯定她。」

可是除了偶爾為了排除我和露露的火爆場面而插手之外，傑德在女兒面前一向支持我。從一開始，我們就採取團結陣線，而且傑德擔憂歸擔憂，卻從來沒有扯過我後腿。反之，他還會盡量維持一家人的和諧，帶全家出去騎腳踏車、教女兒打撲克牌和打撞球，讀科幻小說、莎士比亞、狄更斯的作品給她們聽。

接下來露露使出了讓人意想不到的新招，就是在公開場合謀反。露露非常清楚，在西方國家採取中國式教養，在本質上是一種見光死的做法。要是傳出去你違反小孩意志、強迫他們做什麼事，或要求他們表現得比別的小孩好，或是禁止他們去別人家過夜的話，其他家長會大肆撻伐，而你的子女得付出代價。所以移民家長學會了不要張揚。他們在公共場合會表現出

非常和藹可親的樣子，拍拍孩子的背說出諸如此類的話：「做得不錯，孩子！」和「要有團隊精神！」因為沒有人想被社會唾棄。

這就是露露新招的高明之處。她會在馬路上、在餐廳或是在商店裡跟我大聲爭執，說：「別管我！我不喜歡你。你走開。」陌生人聽到了都會回頭看。朋友來我們家吃晚餐，看到露露，走過來問她小提琴拉得如何時，她會說：「唉呀，我一天到晚都得練琴，被我媽逼的，我也沒辦法。」有一次她還在停車場大聲尖叫，因為被我說的什麼話激怒，不肯下車。她的尖叫聲引起了一個警察的注意，走過來看看「有什麼問題」。

怪的是，學校仍是不可褻瀆的堡壘，露露就只有在這方面還肯聽我的。西方的孩子叛逆時，成績通常都會一落千丈，偶爾甚至還會被當掉。反之，露露這個半華裔的造反派卻一直維持成績全A，而且所有老師都喜歡她，總是在成績單上稱讚她對同學大方、友好、樂於助人。「露露是個開心果，」一位老師這麼寫：「理解力強、有同情心，人緣很好。」

可是露露的看法卻不是這樣。「我沒有朋友，沒有人喜歡我。」她有一天這麼宣布。

「露露，你為什麼要這麼說？」我著急的問：「大家都喜

歡你啊,你那麼風趣,長得又漂亮。」

「我長得很醜,」露露反駁說:「而且你什麼都不知道。我怎麼可能會有朋友?你什麼也不讓我做,我哪裡也不能去,這都是你害的,你是個怪物。」

露露不肯幫忙遛狗,不肯幫忙倒垃圾。讓蘇菲亞做家事,而露露卻什麼都不做,實在太不公平。可是要如何讓一個一百五十公分高的人去做他不想做的事?這個問題不應該出現在中國人的家庭,我也沒有解決的辦法,所以只做我會做的事,那就是以毒攻毒,絕不心軟。我說她是個讓人丟臉的女兒,露露則回答:「我知道,我知道,你已經說過了。」我說她吃得太多。(「別再吃了,你有病啊。」)我拿她和艾美·江、艾美·王、艾美·劉、哈佛·王這些第一代的亞洲小孩比較,他們沒有一個會跟父母頂嘴。我問她,我是哪裡做錯了,是我不夠嚴格嗎?給她太多?允許她和一些壞朋友在一起?(「不准你侮辱我的朋友。」)我告訴她,我正在考慮從中國大陸領養一個小孩,一個會乖乖聽我話的小孩,說不定除了小提琴和鋼琴之外,還會拉大提琴。

「等你十八歲,」她從我身邊走開,上樓梯時,我吼道:「我會讓你按照你的意思去犯所有的錯誤。可是在那以前,我

不會放棄你。」

「我就是**要**你放棄我！」露露不止一次吼回來。

在耐力方面，露露和我不分上下，可是我占了一個優勢，就是我是媽媽。我有車鑰匙、銀行戶頭、不簽同意書的權利，而這一切都符合美國法律的規定。

「我要去剪頭髮。」露露有一天說。

我回答：「你跟我講話這麼沒禮貌，拉孟德爾頌時又不肯表現出音樂性，你還指望我現在開車送你去你要去的地方嗎？」

「為什麼我什麼事都要討價還價才行呢？」露露苦澀的問。

那天晚上我們又大吵了一頓，之後露露把自己鎖在房間裡，不肯出來，我試著跟她隔著門講話，她也不理。一直到很晚，我在書房裡聽見她的門鎖打開的聲音，便去看她，發現她平靜的坐在床上。

「我想睡覺了，」她聲音正常的說：「我的功課全做完了。」

可是我沒有在聽，我盯著她看。

露露拿剪刀把自己的頭髮亂剪一通，一邊長度大致到下

巴,但參差不齊,另一邊是像狗啃似的剪到耳上。

我的心跳都停了,差一點對她大發脾氣,可是不知是什麼原因(現在回想覺得應該是害怕吧)我沒有開口。

過了半晌。

「露露──」我開口說。

「我喜歡短髮。」她打斷我的話。

我把眼光移開,因為受不了她的模樣。露露一頭波浪般的棕黑色頭髮一向令人稱羨。這髮色是華裔猶太人的特色。我既想歇斯底里的對露露咆哮、拿東西丟她,又想把她攬在懷裡痛哭一場。

可是我什麼都沒做,只是平靜的說:「我明天一早去約髮廊,找個人把你的頭髮修一修。」

「好啊。」露露聳聳肩。

後來傑德對我說:「美兒,你一定要改變做法。問題已經很嚴重了。」

這個晚上我已經是第二次想痛哭一場,可是我沒有,反而瞪起眼睛。「沒什麼大不了的,傑德。」我說:「不要無中生有製造問題,我可以處理的。」

♥我和妹妹美文在一九八〇年代初

25. 陷入黑暗

　　成長期間，我最喜歡做的事情之一就是和二妹美文玩。也許是因為她小我七歲的關係，所以我們從來沒吵過架。她小時候可愛得不得了，剪了個西瓜頭，眼睛烏溜溜的，嘴唇像玫瑰花蕾，常引來陌生人的矚目，有一次還贏了潘尼百貨（JCPenny）的攝影比賽，問題是她根本就沒有報名。由於我媽花很多時間在小妹美音身上，所以我和大妹美夏便輪流照顧美文。

　　那段歲月讓我迄今回味無窮。我愛發號施令又自信滿滿，而美文則把我這個大姊當偶像崇拜，所以我倆可說是完美搭

檔。我負責發明遊戲和編故事，教她玩紙牌和跳房子，還有雙人花式跳繩。玩餐廳的家家酒時，我當大廚和服務生，她當客人；玩學校的家家酒時，我當老師，她和五個填充動物玩偶當我的學生（美文在我的課堂上表現出色）。我辦麥當勞嘉年華，為肌肉萎縮症病患募款時，她就負責照顧我們的攤位和收錢。

三十五年後，美文和我依然親密無間。四姊妹裡就屬我們兩個最相像，至少從表面上來看是如此。她和我都擁有哈佛大學雙學位（其實她有三個，因為她兼有醫學博士和哲學博士學位），我們都嫁給猶太人，而我們也都克紹箕裘進入學術界，同時各有兩個小孩。

就在露露亂剪自己頭髮之前幾個月，我接到美文打來的電話。她在史丹福大學教書並帶領一個實驗室。那是我這輩子接到最可怕的一通電話。

她在電話中哭著說她得了一種幾乎可說是絕症的罕見白血病。

不可能，我心慌意亂的想。白血病竟然再一次襲擊我的家人嗎？我的家人不是一向受幸運之神眷顧的嗎？

可是這是真的。美文幾個月來一直覺得疲倦、噁心、喘不

過氣來，後來終於去看醫師，而驗血的結果是不會錯的。說起來真是造化弄人，因為導致她罹患白血病的那種細胞突變，恰巧是她的實驗室正在研究的題目。

「我可能活不久了，」她哭著說：「傑克要怎麼辦？艾拉以後根本不會記得我。」美文的兒子十歲，女兒還不到一歲。「你一定要讓她知道我是怎麼樣的人。你一定要答應我，美兒。我最好準備一些照片——」她的話突然中斷。

我震驚得無法置信。美文十歲時的模樣閃現在我的腦海，完全無法把這個影像和白血病連在一起。這種事怎麼會發生在美文身上？——**美文**！我馬上想到我爸媽，他們怎麼受得了？這簡直是要他們的命。

「美文，醫師到底是怎麼說的？」我聽到自己用懷有一種奇怪自信的聲音問道。我已經迅速套入我那個無所不能、無懈可擊的大姊模式。

可是美文沒有回答。她說她得掛斷電話，晚一點再打來。

十分鐘後，我收到她寄來的電子郵件，上面說：「美兒，情況真的很嚴重。對不起！我需要做化療，可能的話再移植骨髓，然後做更多化療。存活機會不大。」

她自己就是科學家，當然錯不了。

陷入黑暗 25.

虎媽的戰歌

26. 叛逆 II

露露亂剪自己頭髮的第二天，我帶她去髮廊。我們在車上沒說什麼話，我精神緊繃，心事重重。

「這是怎麼回事？」美髮師問。

「她自己剪的。」我解釋說，因為沒有什麼好隱瞞的：「你有沒有辦法挽救，在頭髮長出來之前至少看起來好看一點？」

「哇──你還真的是自己動手剪頭髮哩，親愛的。」那個女的好奇的看著露露說：「你為什麼要剪成這樣？」

「哦，這是青少年的自我毀滅行為，主要是衝著我媽。」我以為露露可能這麼說。她當然懂那些字彙，也有心理上的自覺。

沒想到露露用愉快的聲音說：「我本來是要剪層次的，可是剪壞了。」

回到家以後，我說：「露露，你知道媽咪愛你，我做的每

一件事都是為了你和你的將來著想。」

　　我覺得我的聲音聽起來很假，而露露顯然也有同感，因為她的回答是：「真好。」口氣平淡、毫無感情。

　　傑德五十歲生日到了。我瞞著他想辦一場大型慶生會，邀請他從小就認識以及人生各階段交往的好友來參加。我請每一個人說一件有關傑德的好笑事，並在事前數週要求蘇菲亞與露露各寫一段祝辭。

　　「不可以只是隨便寫寫，」我下達命令：「必須要有意義，而且也不可以說一些老套的話。」

　　蘇菲亞立刻動手。她一如往常，沒有跟我商量或是央求我建議半個字。可是露露卻說：「我不想說祝辭。」

　　「你**一定要**說。」我回答。

　　「我這個年紀的人沒有人說祝辭的。」露露說。

　　「那是因為他們來自壞家庭。」我反駁。

　　「你知道你這麼說聽起有多畸形嗎？」露露問：「他們沒有來自『壞』家庭。你說『壞』家庭是什麼意思？」

　　「露露，你真是不知好歹。我像你這麼大的時候，事情從來做不完的。我幫妹妹造樹屋，因為我爸要我做。他說什麼我都聽，所以我知道怎麼使用鏈鋸。我還蓋了一間蜂鳥房。我替

《艾城日報》（*El Cerrito Journal*）送報，頭上得頂著一個裝滿報紙、二十幾公斤重的大袋子，走上八公里路。而你呢——我們給你多少機會、多少特權。你從來不必穿四條線的冒牌愛迪達，理所當然是穿三條線的。可是你連這麼一件小事都不願意為爸爸做。實在太可惡了。」

「我不說祝辭。」這是露露的回答。

我使出殺手鐧，無所不用其極地威迫利誘。我也提議幫忙她擬稿，提高賞金，並下達最後通牒，因為這是關鍵性的一役。

舉行慶生會時，蘇菲亞講了一小段精采的祝辭。十六歲，穿著高跟鞋有一百七十公分高的她，已長成一個靈巧聰慧的女孩，讓人眼睛為之一亮。她的祝辭充分掌握到她爸爸的特色，溫和的消遣了他一番，最後再捧一捧他。她說完之後，我的朋友艾力克斯走向我，說：「蘇菲亞真是不簡單。」

我點點頭：「她的祝辭說得很精采。」

「那是當然……不過我說的不是這個。」艾力克斯說：「我不知道大家是不是真的了解蘇菲亞。她其實有自己的想法，可是也會努力讓你們全家以她為榮。而露露就是很可愛。」

　　我完全不覺得露露可愛。蘇菲亞在說祝辭時，露露含笑站在姊姊身旁，可是她終究一個字也沒有寫，一句話也不肯說。

　　我感到茫然，這還是有史以來頭一次。我們家發生過這許多的騷亂和爭執，但我從來不曾有過茫然的感覺，至少沒有對重要的事情有過這樣的感覺。

　　露露這種目無尊長的挑戰行為惹火了我。我憋了一會兒，然後把滿腔的怒氣發洩出來。「你讓這個家、還有你自己丟臉。」我對露露說：「你這輩子都得面對你犯的這個錯。」

　　露露立刻反擊。「你就愛現，一切都是為了你自己。你已經有一個對你百依百順的女兒，還要我做什麼呢？」

　　我們兩人中間現在豎起了一道牆。以前不論吵得再兇，最後總是會和好如初，然後一起窩在她或我的床上，互相擁抱，嘻嘻哈哈的學對方吵架的樣子。我會說一些父母不該說的話，像「我很快就要死了」，或是「我不敢相信你有那麼愛我，這樣很痛耶。」露露則會說：「媽咪！你實在很奇怪耶！」可是臉上帶著笑容。現在露露晚上不再來我房間。她不但把怒氣發在我身上，連傑德和蘇菲亞也被波及。她躲在房間裡的時間愈來愈多。

　　別以為我沒有努力挽回露露的心。只要沒在生氣或和她

爭吵時，我就會竭盡所能的努力。有一次我說：「嘿，露露！我們來改變一下生活，做點不一樣的事玩玩吧。我們來辦一次車庫大拍賣。」我們說做就做（還淨賺了兩百四十一點三五美元），是很好玩，可是日子並沒有因而改變。還有一次，我建議她去上一堂電小提琴的課，她上了之後也滿喜歡，可是等我要去預約第二堂時，她卻告訴我這個課上起來很無聊，要我別再預約。不久，我們又吵了起來，卡在敵對的狀態。

另一方面，就兩個爭執不休的人來說，露露和我相處的時間其實相當多，不過我不認為那是有品質的時間。我們平常週末的時間是這樣安排的：

星期六：開車一小時（早上八點）到康乃狄克州諾沃克

　　　　練管絃樂團三小時

　　　　開車一小時回紐哈芬

　　　　寫功課

　　　　練習小提琴一～二小時

　　　　一小時家庭趣味活動（選擇性）

星期天：練小提琴一～二小時

開車兩小時去紐約市

上一小時田中老師的課

開車兩小時回紐哈芬

寫功課

現在回想起來，這樣的生活還挺慘的，可是從另一方面來看，這一切又非常值得。重點是，露露討厭小提琴——除了她喜歡小提琴的時間外。露露有一次跟我說：「我拉巴哈的時候，感覺自己好像在做時間旅行，可以置身於十八世紀。」她告訴我她非常喜歡音樂超越歷史的感覺。我記得有一次在田中老師兩年一度的演奏會上，露露拉的孟德爾頌小提琴協奏曲讓觀眾陶醉不已。演奏結束後，田中老師對我說：「露露的演奏與眾不同，她真正感受到了那個音樂，她也了解那音樂。看得出來她很喜歡小提琴。」

一部分的我想擦亮田中老師的雙眼，告訴她露露有時候憎恨小提琴；而另一個我卻為她的話語歡欣鼓舞，重拾決心。

露露的受誡禮快到了。儘管我不是猶太人，受誡禮是傑德的事，但是我和露露連在這事上也可以鬥。我要她在受誡禮上表演小提琴，我心裡想的是阿克隆（Joseph Achron）的〈希

伯來旋律〉，露露的老朋友萊希以前跟我們說過，這是一首優美、虔誠的曲子。傑德同意了，但是露露不同意。

「**拉小提琴**？在我的受誡禮上？太荒謬了！我不要。」露露難以置信的說：「這太不恰當了。你知道受誡禮的意思是什麼嗎？那又不是演奏會。」然後她又說：「我只想要舉行大型的派對，拿到很多禮物。」

這麼說的目的是為了激怒我。露露多年來聽我抱怨過很多次那些有錢人家的小孩，父母不惜一擲千金為他們辦受誡禮派對、社交舞會，或慶祝「甜蜜的十六歲」生日。事實上露露對猶太人的身分有強烈認同感。她和蘇菲亞不一樣（或者就這件事來說，和傑德也不同），她向來堅持遵守逾越節的規定，在贖罪日也會齋戒。對她來說，受誡禮是她這輩子的大事（她比蘇菲亞更看重此事），所以她滿腔熱誠的學習希伯來文的《妥拉》（按：亦譯為《摩西五經》）和先知書。

我才不上當。「你不拉小提琴，」我平靜的說：「爸爸和我就不幫你舉行派對，改辦一個小小的儀式就好，反正重要的是那個儀式。」

「你沒有權利這麼做！」露露氣得冒煙：「這太不公平了，你就沒有逼蘇菲亞在她的受誡禮上彈鋼琴。」

「做一點蘇菲亞沒有做過的事，對你有好處的。」我說。

「你又不是猶太人，」露露反駁說：「你不知道你在說什麼。這件事和你一點關係都沒有。」

受誡禮之日的前六星期，我把露露的邀請卡發了出去。可是我警告她：「你要是不拉〈希伯來旋律〉，我就會取消派對。」

「你已經不能取消了。」露露輕蔑的說。

「你要不要試試看我能不能，露露？」我挑釁地說：「看看我到時候會不會取消。」

老實說我還真是不知道這場鬥爭誰會贏。我這一招風險很高，因為我並沒有想出萬一失敗要如何收場。

27. 美文

美文罹癌的消息對我爸媽的打擊大到他們承受不了，這兩個我所知道最堅強的人都垮了。媽媽哭個不停，不肯離家一步，也不回朋友的電話，甚至連蘇菲亞和露露的電話也不接。爸爸則不停打電話給我，一遍又一遍，痛苦的問我有沒有一絲希望。

美文選擇到波士頓的達納—法伯／哈佛癌症中心（Dana-Farber/Harvard Cancer Center）接受治療，聽說那是美國最頂尖的骨髓移植醫院之一。哈佛也是美文和她先生歐爾念書與受訓的地方，而且她在那裡還認識一些人。

一切都發生得太快。診斷出罹癌之後才三天，美文和歐爾便鎖上在史丹福大學的家門，把所有家當搬到波士頓（美文甚至不肯考慮把兩個孩子留在加州給爺爺奶奶帶）。我們在朋友喬丹與艾力克斯的幫忙之下，替他們在波士頓租了間房子，給傑克找到學校，也幫艾拉找了家托兒所。

　　美文的白血病屬於惡性，所以達納—法伯的醫師告訴她，必須直接進行骨髓移植手術，用其他方法沒有任何勝算。可是若要做骨髓移植，美文必須克服兩大障礙。第一，她必須接受密集的化療，並且祈禱病情可以緩解下來。第二，如果病情緩解，她還必須夠幸運，找得到配對成功的捐贈者。不論是哪一個障礙，要克服都已經不容易了，遑論兩個障礙都過關。而且，就算一切順利做了骨髓移植，存活率也是低得嚇人。

　　美文在波士頓定下來後還有兩天就要住院。她和兩個孩子道別的時候，我就在她家。她堅持要洗衣服——兩大籃的衣服，而且把傑克第二天要穿的衣服擺在外面。她仔細的疊兒子的襯衫，撫平女兒的圍兜和連身衣，我在一旁看得驚呆了。「我喜歡洗衣服。」她對我說，並在離開家門之前，把所有的首飾交給我保管。「以防我回不來。」

　　我和歐爾開車送美文去醫院。等待填寫住院表格時，她不停說笑，比如「美兒，幫我找一頂好看的假髮吧。我一直想要一頭好看的頭髮。」她還向我道歉，說耽誤我這麼多時間。等我們終於進到她的病房（隔簾另一邊是位面色灰敗的老太太，顯然是才剛做完化療）之後，美文做的第一件事就是把家人的照片擺在桌上。有一張是艾拉的特寫，一張是傑克三歲時拍

的，一張是他們一家四口在網球場上開心的合照。雖然美文不時有點心不在焉，但是看起來非常平靜從容。

反倒是兩個實習醫師（一個是亞洲人，另一個是奈及利亞人）進來向美文自我介紹時讓我火冒三丈。這兩個人好像是冒牌貨似的，不但對我們的問題一問三不知，還有兩次提到美文的病時，說的是另一型的白血病。結果美文還得反過來跟他們說明，讓他們晚上值班時知道該如何處理。我當時只想到：難道他們是學生不成？妹妹的性命就是交到這些醫學生的手中嗎？

可是美文的反應卻和我完全不同。「我實在不敢相信，我最後一次在這幢大樓裡的時候，我也是他們的一員，」那兩個實習醫師走了以後，她若有所思的說，聲音裡稍微有一絲悲哀。「那時候歐爾和我才剛認識不久。」

剛開始一、兩星期的化療進行得很順利。我們見識過佛蘿倫絲的治療，所以知道化療的副作用是累進的。剛開始幾天美文說她覺得好極了──事實上，精神比前幾個月更好，因為他們固定為她輸血改善她的貧血。她照樣寫科學論文（其中一篇在她住院後刊載在《細胞》期刊），遠距離監督她在史丹福大學的實驗室，並且上網幫傑克和艾拉買書、買玩具，還有冬天

穿的衣服。

　　就連美文開始感受到化療的副作用後，也從來沒聽她抱怨過。像是在胸腔插入希克曼導管、把化療藥物直接滴進中央大靜脈（「不算太糟，不過我還是不敢看。」）；或是突然打寒顫發高燒；或是幾百次的吃藥、針戳，她也都承受了下來。這段期間，美文還不時發一些好笑的伊媚兒給我，有的甚至讓我捧腹大笑。她有一次寫道：「耶！開始感覺噁心，化療在發功了……一切符合計畫。」還有一次：「我期待著抽血員今天早上的來訪。雖然我心裡其實是希望他少來一點」以及：「可以吃清流質食物了。我要喝雞湯。嘖嘖嘖，好喝。」

　　我開始明白，當美文沒有消息，也就是沒有回電話或伊媚兒時，不是病勢兇猛，正在出蕁麻疹（這是輸入血小板常見的過敏反應），就是吃了止痛藥，感覺遲鈍。就算告訴我最新狀況，也總是避重就輕。對我每天問「昨晚情況如何？」的伊媚兒，她會回覆：「你不會想知道的」、「不算太糟，也好不到哪裡去」，或是「唉，又發一次燒。」

　　我也明白另一件事，就是美文下定決心要為兒女活下去。她從小到大一直是我們四姊妹中專注力最強的一個，做起事來總是心無旁騖，現在更是把全副才智與創意發揮在對抗白血病

這件事上面。受過醫師訓練的她對自己的病一清二楚，會去確認藥的劑量，檢視她的細胞遺傳學報告，並上網研究臨床試驗的結果。她很喜歡她的醫師，因為她自己夠內行，看得出這些醫師經驗豐富、才智敏銳、判斷力佳，而醫護人員和實習醫師也都對她很有好感。有一次，一個攻讀醫學博士、正在達納—法伯實習的學生，從她的名字認出她是在史丹福大學任教、權威科學期刊《自然》上發表過兩篇研究報告的作者，敬畏的向她請教了些專業意見。同時，美文為了維持身材，還強迫自己一天兩次推著點滴架走二十分鐘。

二○○八年秋、冬兩季，我常常待在波士頓。我們一家四口每個週末都會去，有時候等我和露露結束從田中老師那兒來回四小時的車程之後，立刻又驅車兩小時前往波士頓。美文自己雖然完全不在意有人探病，然而在她的免疫系統遭化療破壞之後，醫院就不贊成她會客了。可是她對傑克與艾拉放不下心，每當知道我們在陪著兩個孩子時都非常高興。蘇菲亞愛死了小表妹艾拉，而露露則與傑克是好朋友。他們兩人的個性很像，長相也很像，別人常以為他們是親手足。

當然，我們全都屏氣凝神的在注意一件事：就是看美文的病情有沒有緩解。到第二十天，他們給她做了活組織切片檢

查。這個檢查非常關鍵，要等一星期才能知道結果。結果不妙，很不妙。美文的頭髮都掉光了，皮膚在脫皮，所有腸胃道可能有的併發症一樣不缺，可是病情卻沒有緩解。她的主治醫師說還要再做一回合化療。「這不是世界末日，」他說，努力表現出樂觀的樣子。可是我們自己做過研究，心裡有數。如果下一個療程再不見效的話，美文骨髓移植成功的機率就是零。這是她最後的機會。

♥十六歲的蘇菲亞

28. 米袋

一天晚上，我下班回家發現廚房散落了一地的米。當時我又累又緊繃，因為那天教完課後和學生進行了四個小時的討論，而且我還想晚餐後開車去波士頓。一只大大的粗麻布袋碎成片片躺在地上，到處都是破布和塑膠袋，可可和普希金則在屋外狂吠不止。我很清楚這是怎麼回事。

這個時候蘇菲亞拿著掃把走進廚房，一臉的鬱悶。

我對她開砲。「蘇菲亞，你又這樣！儲藏間的門沒有關對不對？我已經跟你講了多少次狗會跑進米袋裡？這下子整袋二十五公斤的米都報銷了，而且狗現在說不定也快死了。你老

是**講不聽**，老是說：『好啦對不起，下次不會了──我真該死。』可是你**從來不改**。你一向只求別淌渾水，從來不知道要關心別人。我討厭你總是把我的話當耳邊風──可惡透了！」

傑德常指責我老愛誇大其詞，把一點小錯說得好像是天大的道德汙點，而蘇菲亞的應對之道往往只是逆來順受，等待風暴過去。

可是這次蘇菲亞卻**轟**了回來。「媽咪！我會弄乾淨的好嗎？你那個樣子就像我剛才搶了銀行似的。你知道我這個女兒有多乖嗎？我認識的每一個人都是一天到晚到參加派對、喝酒、嗑藥，可是你知道我怎麼樣嗎？我每天放學就直接跑回家，我是**用跑的**。你知道那有多奇怪嗎？有一天我忽然想到：『我為什麼要這樣？我為什麼要跑回家？』就是為了有更多時間可以練鋼琴！你老是在說要感恩，可是應該是你感謝**我**才對。不要因為你管不動露露，就把挫敗感發洩在我身上。」

蘇菲亞說得一點都沒錯。十六年來她總是讓我感到驕傲，讓我的日子過得很輕鬆。可是，有時候當我明知自己有錯而不喜歡自己時，反而會橫下心來變本加厲，所以我便說：「我可從來沒有要求你跑回家──這太可笑了。你看起來一定很滑稽吧。還有如果你想嗑藥的話，請便。說不定你還會在戒毒中心

認識一個不錯的男孩子。」

「這個家實在太莫名其妙了。」蘇菲亞抗議：「我什麼事情都做，你要我做的每一件事我都做了，可是只要我犯一點點錯，你就對我又吼又叫。露露什麼都不聽你的，跟你頂嘴、扔東西，可是你還買東西賄賂她。你這樣算是哪門子『中國媽媽』啊？」

這話說得一針見血。也許我可以順便談談中國式教養裡與排行有關的問題，或者，光是討論排行就好。我有一個叫作史蒂芬妮的學生最近告訴我一件怪事。她是韓國移民家庭的長女，讀高中時成績一律是A，數學資優，還是音樂會鋼琴演奏家，可是她媽媽卻常常威脅她，要是她不做哪一件事，「我就不送你去學校。」史蒂芬妮不能想像自己如何能缺課，嚇得要命，所以對媽媽的要求唯命是從。反之，媽媽用同樣的事情要脅她妹妹時，她妹妹就會回答：「**太好了**，我就喜歡待在家裡。我討厭上學。」

當然有很多例外，可是這個模式──長子／女是模範生、次子／女叛逆，是我在許多家庭觀察到的情形，特別是移民家庭。我只是自以為可以憑靠意志力與努力，克服露露的問題。

「你知道的，蘇菲亞，我和露露之間有問題，」我承認

說：「對你行得通的，對她卻行不通，整個是一團糟。」

「喔……不用擔心，媽。」蘇菲亞說，她的聲音忽然變得柔和起來：「這只是過渡階段。十三歲是很可怕的年齡，我自己那時候就很悲慘。可是慢慢會好起來的。」

我完全不知道蘇菲亞十三歲時很悲慘。現在回想起來，我媽媽也不知道我十三歲時日子過得很悲慘。我們家和大部分亞洲移民家庭一樣，父母是不會和子女坦率「交談」的。我媽媽從來沒有告訴過我有關青春期的事，或青春期身體會有什麼變化，連「青春期」這三個字都不曾說出口過。我們也從來沒談過「生命的真相」（the Facts of Life，按：意指教給兒童的性生活常識）——光是想像這類的談話就讓我打了個冷顫。

「蘇菲亞，」我說：「你在家裡的角色就和我以前一模一樣，排行老大，每一個人都依賴我，我完全不需要別人操心。擔任這樣的角色是個榮譽。問題是，西方的文化並不這麼認為。在迪士尼電影裡，那個『好女兒』總是要崩潰，明白原來人生不只是遵守規則和得獎而已，然後就脫掉衣服跑進海裡什麼的。可是那只是迪士尼的一種手法，以便吸引所有那些不曾得過獎的人。得獎為你帶來機會，而那就是自由——而不是跑進海裡去。」

我自己都被這番演說感動了，可是心裡痛得不得了。蘇菲亞手上抱滿書從學校跑回家的畫面閃過我的腦海，幾乎讓我承受不住。「掃把給我吧，」我說：「你需要時間練鋼琴，我來清理就好了。」

虎 媽 的 戰 歌

29. 絕望

　　我和大妹美夏都做了檢驗，看能不能和美文的骨髓配對。兄弟姊妹能夠配對成功的機率最高，每三個人大約就有一個能成。我有一種奇怪的樂觀，認為自己的血液會和美文配對成功，可是我錯了。美夏和我的血液都與美文不合。諷刺的是，我和美夏的血液倒非常的合，可惜我們都幫不了美文。這表示美文現在得設法透過全美骨髓資料庫找尋捐贈者。然而令人沮喪的是，我們得知，若手足配對失敗，找到合適捐贈者的機率即大幅降低，特別是對亞裔和非裔美國人而言。網際網路上充滿了瀕死患者的懇求，他們拚命在找可以配對的骨髓。但就算有人適合，整個過程可能還是需要好幾個月，而美文未必有那麼多時間。

　　美文第一次做化療並沒有那麼可怕，可是第二回合的痛苦程度補上次的不足還綽綽有餘。現在我會好幾天都沒有她的消息。我實在恐慌，打電話給歐爾，但多半只會被轉到他的語音

信箱，再不然就是他接電話時突兀的說：「美兒，我現在不方便講話，等一下再打給你。」

化療致死的主因是感染。只要一般疾病如感冒或流行性感冒就可以奪走癌症病人的性命，因為病人的白血球已被摧毀。美文就這樣遭到一次又一次的感染。為了治療這些感染，醫師開了大量抗生素，而這些抗生素又引起各式各樣痛苦的副作用，而且一旦某些抗生素無效，他們又再試其他抗生素。她有好幾星期不能吃不能喝，只能打點滴，而且不是發冷就是發熱。併發症和危機一波波來襲，所以她多半時間都是處於極大的痛苦中，必須使用鎮靜劑。

進行第二回合化療時，我們再度屏氣等待。想知道美文的白血病有沒有緩解，方式之一就是看她有沒有製造健康的血球——特別是可以抵抗細菌感染的中性粒細胞。我知道美文每天早上的第一件事就是抽血，所以我從早上六點開始就坐在電腦前等她的伊媚兒。可是美文不再寫信給我了。當我不耐久等而先發伊媚兒給她時，她只會回我幾個字：「血球數沒有增加」、或「仍無進展，很失望」。不久，她便完全不回信了。

我以前總是納悶，為什麼有的人就是搞不清楚狀況，留了一通又一通的語音訊息（「打—電—話給我！你在哪裡？我很

擔心！」），人家不回他們電話顯然是有原因的。唉，可是現在我也不由自主，急到不管自己是不是在騷擾別人了。美文第二回合化療結束後，我每天早上一次又一次的打電話給她，儘管她從來不接（因為她有來電顯示，知道打電話來的是誰）。我不斷留話，告訴她一些不相干的事情，想像自己仍然保持愉快和樂觀。

有一天早上美文接了電話，可是聽起來不太像她，聲音虛弱到我差點認不出來。我問她覺得怎麼樣，她只是嘆氣，然後說：「沒有用，美兒。我好不了的，沒有希望……一點希望也沒有。」然後她的聲音漸漸消失。

「別傻了，美文。讓血球數增加本來就是要花這麼長的時間，這再正常不過了，傑德才剛研究過這件事呢。你要是想看的話，我可以把那些統計傳給你。歐爾告訴我說醫師都非常樂觀。多給它一點時間就好了。」

她沒有回答，於是我又開始說：「露露真是可怕極了！」我告訴她小提琴如何引發我們母女間的戰爭，以及我失控發脾氣的事。美文生病前，我和她經常聊媽媽經，我們也會談到，我們為什麼沒有辦法像當年爸媽對我們那樣，運用權威對待我們的子女。

　　我鬆了一口氣，因為我聽到美文在電話那頭笑出聲，並用比較正常的聲音說：「可憐的露露，她很乖的，美兒，你不該對她那麼嚴。」

　　萬聖節那天，我們聽說醫院找到了骨髓捐贈者，是一位華裔美國人，和美文配對非常理想。四天後，我收到美文發來的伊媚兒：「我有中性粒細胞了！數量是一百，得增加到五百才行，可是有希望增加。」數量果然增加了，慢歸慢，但還是增加了。十一月，美文出院調養體力。距離骨髓移植還有整整一個月，而在移植之前還得再做一回合化療。這一次要在無菌病房裡進行，用非常高劑量的化療藥物消滅美文體內所有有病變的骨髓，讓捐贈者的骨髓取而代之。很多患者再也沒有走出那間無菌病房。

　　美文在家的那個月看起來非常快樂，做任何事情都興味十足：餵艾拉吃飯、帶兩個孩子去散步、看著他們睡覺。她最愛的事就看傑克打網球。

　　骨髓移植手術是在耶誕夜進行的。我爸媽和我們一家四口住進波士頓一家旅館，買中國菜回來吃，和歐爾、傑克、艾拉一起打開禮物。

30. 希伯來旋律

　　嶄新的一年——二○○九來了。但是對我們來說，這個新年並沒有太多節日的氣氛。我們從波士頓回到家已經筋疲力盡。在美文躺在骨髓移植加護病房之際，要把節日歡樂的氣氛帶給她的兩個孩子是件痛苦的事。應付我父母更是累人。我媽媽非要自虐不可，不停的問為什麼、為什麼、為什麼美文會得白血病。我毫不客氣的打斷她幾次，可是心裡又很愧疚。我父親則再三問我同樣的醫療問題，我把問題轉給傑德，他便耐心的解釋移植過程的各種機轉。我們全都害怕新的一年可能帶來的事情。

　　回到紐哈芬時，發現我們家漆黑一片又冷得要命。原來前幾天發生一場嚴重的暴風雪，刮起有史以來最強勁的風，接著又停電，所以我們有一陣子沒有暖氣可用。我和傑德學校的新學期即將開始，我們得備課，而最糟糕的就是小提琴的事迫在眉睫——露露的三場演奏會即將來臨，而她的受誡禮也快到

了。要重新披掛上陣了，我堅定的想。

露露和我幾乎不說話。她的頭髮就是強烈的指控。儘管美髮師做了最大的努力，頭髮還是短短的，有一點參差，讓我心情很差。

一月底，美文出院。剛開始虛弱到連上樓的力氣都沒有。而且因為她還是非常容易遭到感染，除非戴口罩，否則餐館、雜貨店或電影院這些地方都不能去。我們所有人都祈禱她新造的血液不會攻擊自己的身體，而一、兩個月之內就可以知道她會不會產生最嚴重的併發症——移植物對抗宿主疾病。這是有可能致命的。

就這麼過了幾星期，隨著露露的受誡禮愈來愈近，她和我的戰鬥也愈來愈激烈。和蘇菲亞的受誡禮一樣，我們採取的是非傳統方式，在家裡舉行。傑德處理主要的事情，而我則是負責喋喋不休要露露練習先知書的人——即便事關希伯來，我還要當好中國媽媽。一如往常，我們吵的最兇的部分是在小提琴。「你沒有聽見我說的話嗎？我說**馬上**去樓上練習〈希伯來旋律〉！」我想必這麼咆哮過上千次吧。「這曲子不難，所以如果沒有奏得非常動人就是失敗。」我有時候會這麼喊：「你**想要**普普通通就好嗎？那是你要的嗎？」

露露總是狠狠的報復，她會回嘴說：「不是每一個人的受誡禮都必須與眾不同，而且我**不想練琴**。」或是：「我不要在我的受誡禮上拉小提琴！你休想讓我改變心意！」或是：「我**討厭**小提琴。我不學了！」我們家的分貝早已破錶。雖然傑德已把這個表演印在節目表上，但是直到受誡禮當天早上，我還是不確定露露要不要表演。

　　露露最後還是拉了這首曲子。順利表演完畢。她先泰然自若、信心十足的朗讀了《摩西五經》和先知五書，而她演奏〈希伯來旋律〉時，整個房間迴盪著美妙的琴聲，來賓泫然欲泣。人人都明白，那曲子是發自她內心深處。

　　在儀式結束後的招待會上，露露容光煥發的招呼客人。「我的天哪，你的小提琴真**嚇人**哪，我的意思是說**好得驚人**。」我聽見她的一個朋友這麼對她說。

　　「她真是不得了，」我一位歌手朋友驚嘆道：「她的天分顯然很高，這是別人教不來的。」我告訴她我得費盡九牛二虎之力才能讓露露練琴時，我朋友說：「你不能讓她停掉，否則她一輩子都會後悔的。」

　　露露演奏小提琴的情形一向是如此，聽者被她吸引，她則是被音樂吸引。這就是我們每次吵架而她堅稱討厭小提琴時，

讓我感到迷惑又生氣的地方。

「美兒，恭喜你。天知道如果你是**我的**媽媽的話，我今天不知道會有多大的成就呢，」我們的朋友凱倫打趣道，她以前是個舞者。「說不定現在我會很不得了呢。」

「才不呢，凱倫，我才不希望做任何人的媽媽，」我搖頭說：「我們家常常不是大吼就是尖叫，我甚至以為露露今天不會表演的。說老實話，這是很傷的。」

「可是你給了你的女兒很多東西，」凱倫堅持說：「讓她們知道自己的能力、知道優秀的價值，這是她們可以擁有一輩子的東西。」

「也許吧，」我懷疑的說：「只是我現在已經不那麼肯定了。」

那場派對辦得很精采，人人都很開心，而最讓我們興奮的是美文和她的家人都到了。美文出院已五個月，體力正在慢慢恢復，只是免疫系統依然十分脆弱，所以只要一聽到有人咳嗽，我就大驚失色。美文看來雖瘦，但依舊漂亮，而且她抱著艾拉的樣子，幾乎可說是充滿了勝利的歡欣。

那天晚上，當所有的客人都離去，我們盡量收拾完之後，我躺在床上想，不知露露會不會到我房間來，像那次演奏完

〈小白驢〉那樣的抱我。我等了很久，可是她沒有來，於是我去了她的房間。

「你高不高興我逼你演奏〈希伯來旋律〉？」我問她。

露露看起來很高興，但對我的態度不很熱絡。「高興啊，媽咪，」她說：「可以記你一筆功勞。」

「好啊，我就記自己一筆功勞。」我說，努力讓自己笑出聲來。接著我告訴她，我很以她為榮，她表現得非常出色。露露禮貌性的微微一笑，只是看起來心不在焉，好像等不及我走開似的。而且她的眼神告訴我，由我作主的日子不多了。

虎 媽 的 戰 歌

31. 紅場

露露受誡禮之後兩天，我們前往俄羅斯。那是我夢寐已久的假期。我小時候就聽爸媽說過聖彼得堡有多好，而傑德和我也想帶兩個女兒去我們沒去過的地方。

我們需要度個假。美文才剛度過急性移植物對抗宿主疾病最危險的時期，所以我們基本上已有十個月沒有度過假了。我們的第一站是莫斯科，傑德在市中心找了家傳統的旅館，大家稍作休息就出發展開俄羅斯初體驗。

我盡量讓自己隨和、不表示意見，這是兩個女兒最喜歡我的時候。我也克制自己不要像平常那樣對她們的穿著置評，或是叨唸她們說了多少次的「like」。可是那天注定運氣不佳。我們到一個號稱是銀行的地方，分開在兩個隊伍裡排了一個多小時的隊，等我們終於從銀行出來時，原來想參觀的博物館已經打烊。

於是我們決定去紅場，從我們下榻的旅館走過去即可。紅

場大得嚇人，從我們進去的那個大門到另一頭那座洋蔥頂的聖
巴西里大教堂之間，裝得下三座足球場。我心想，這座廣場可
不像義大利廣場那樣雅致、迷人，當初是蓋來恐嚇人的，我好
像可以看到行刑隊和史達林的禁衛軍部隊站在廣場上。

　　一路上露露和蘇菲亞不停互相中傷，我很惱火。其實，
我真正惱火的是她們兩個都長這麼大了，都是個頭跟我一樣高
的少女（蘇菲亞比我還高七、八公分），而不再是可愛的小女
孩。「時間過得真快啊，」一些年紀大的朋友總是傷感的說：
「不知不覺中，孩手就長大離開家了，你也就老了，儘管感覺
上自己和年輕時沒什麼兩樣。」朋友們這麼說時，我從來不當
一回事，因為他們在我眼中本來就老了。或許是因為我從每天
的每一刻擠出這麼多時間來，就以為幫自己爭取到更多時間。
單純就數字來看，睡得少的人活著的時間自然比較多。

　　「那道長長的白牆後面是列寧墓，」傑德指給女兒看：
「他身體塗了防腐劑，以供人瞻仰。我們明天可以進去看一
看。」接著傑德就給女兒稍微說了一些俄羅斯的歷史和冷戰時
期的政治。

　　我們四處走了一下，遇到的美國人少得出乎意料。中國人
倒是很多，但是對我們好像完全視若無睹。後來我們在一家露

天咖啡館坐下，這家咖啡館是著名的古姆（GUM）購物中心附設的，而古姆就位於一座有整排圓拱門廊的十九世紀宮殿式建築裡面，幾乎占了紅場的整個東面。對面就是堡壘般的克里姆林宮。

我們決定點俄羅斯煎餅和魚子醬來嚐嚐，我和傑德認為這不失為展開莫斯科第一夜的有趣方式。可是魚子醬（小小一盤三十美元）送來的時候，露露說：「呀，好噁。」一口都不肯吃。

「蘇菲亞，別吃那麼多，留點給別人。」我厲聲說完，然後砲口對準另一個：「露露，你聽起來就像個沒教養的野蠻人。嚐一點看看，你可以在上面塗一點酸奶油。」

「那更可怕，」露露說，一面作勢抖了一下：「而且不要叫我野蠻人。」

「你別破壞大家的假期，露露。」

「破壞的人是你。」

我把魚子醬推向露露，命令她吃一顆魚子——一顆就好。

「為什麼？」她挑釁的說：「你幹嘛管那麼多？你別想逼我吃任何東西。」

我感覺到我的火氣直往上冒。難道我連一件小事都叫不動

露露嗎？「你簡直像不良少女一樣。**你現在就給我吃一顆。**」

「我不想。」露露說。

「**吃一顆魚子，露露。**」

「不要。」

「美兒，」傑德開始打圓場說：「大家都累了，我們何不——」

我打斷他的話。「露露，如果我的父母看到這一幕，看到你在大庭廣眾下不聽我的話，你知道他們會有多難過、覺得多丟臉嗎？你臉上那是什麼表情？你只是在傷害你自己而已。我們人在俄羅斯，你卻不肯吃魚子醬！你就像個沒開化的野蠻人一樣。如果你覺得自己是什麼了不起的叛逆份子，那麼我告訴你，其實你再**普通不過**。美國青少年不肯嘗試，這是再典型、再想得到、再普通、再沒水準不過的事了。你實在是個讓人厭煩的人，露露——**讓人厭煩。**」

「閉嘴。」露露氣壞了。

「你膽敢叫我閉嘴，我是你媽。」我壓低嗓門說，可是多少還是有一些客人把眼光投過來。「別再裝出一副強悍的樣子，想讓蘇菲亞佩服你。」

露露沒有壓低聲音，反而使出全力，用最大的嗓門吼出：

「我討厭你！**我討厭你**。」現在整間咖啡館的人都盯著我們看。

「你根本就不愛我，」露露罵說：「你以為你愛我，你愛我才怪。你只是分分秒秒的在讓我覺得自己很差而已。你毀了我的生活，我受不了在你旁邊。這就是你要的是不是？」

我哽咽欲泣，露露看在眼裡，卻不罷休。「你是一個**可怕的媽媽**。你自私，只想到你自己。怎麼，你不敢相信我竟然這麼不知好歹嗎？你為我做了這麼多事？你說你為我做的每一件事其實都是為了你自己。」

我心想，她真像我，那種咄咄逼人的兇狠勁。「你是個可怕的女兒。」我大聲說。

「我知道，我不是你想要的——我不是中國人！我也不想當中國人，為什麼你就是聽不懂呢？我討厭小提琴，我**討厭**我的生活，我**討厭**你，我**討厭**這個家！我要砸掉這個玻璃杯！」

「砸呀！」我挑戰她。

露露從桌上拿起一個玻璃杯就往地上砸。杯裡的水和玻璃碎片飛出去，有些客人倒抽一口氣。我感覺所有的目光都集中在我們身上，多麼荒唐怪誕的一幕！

　　我這輩子都在不屑西方父母管不好子女，可是現在我自己的孩子卻如此不尊重人、沒有禮貌、暴力、失控。

　　露露在盛怒之下渾身顫抖，眼裡掛著淚水。「你要是不放過我，我就再砸更多。」她喊道。

　　我起身就跑，用最快的速度跑，不知道自己跑向何處；一個四十六歲穿著涼鞋的女人發了瘋似的邊哭邊衝刺。我跑過了列寧的陵寢，跑過了持槍的部隊，我還以為他們會朝我開槍。

　　然後我停下腳步。我已經到了紅場的盡頭，無路可去。

32. 象徵

　　很多家庭都有其具象徵意義的事物，像是一座鄉間的湖泊、爺爺的獎章，或是安息日的晚餐。在我們家，小提琴已成為一個象徵。

　　對我來說，小提琴象徵著卓越、精進、深度，和購物中心、超大杯可樂、流行服飾、極端的拜金主義背道而馳。和聽iPod不同，拉小提琴難度很高，需要專注、精準，以及詮釋。就算是小提琴本身，不論是光亮的木頭、雕刻的琴頭、馬毛做的弓、精緻的琴橋，或是發聲點，無一不是那麼的奧妙、精良，而且要聲音好聽，還得仰賴拉琴的人。

　　對我而言，小提琴象徵對階級、規範和專業的尊重；對那些懂得較多、足可為人師者的尊重；對技藝較高、足可啟發別人者的尊重；以及對家長的尊重。

　　小提琴也象徵著歷史。中國人從未達到西方古典音樂的高度，中國人的音樂沒有能和貝多芬的第九號交響曲相提並論

者，然而高度傳統的音樂是與中國文化緊密結合的。經常使人聯想到孔子的七弦琴（按：亦稱古琴），至少已有兩千五百年歷史。這種琴在唐朝被尊為聖賢用的樂器，而唐朝的偉大詩人使它永垂不朽。

最重要的是，小提琴象徵著一種掌控的力量，能避免世代衰微、跳脫家中排行導致的差異，幫助人們把握自己的命運，更能引導孩子找到奮發向上的途徑。為什麼第三代移民只會彈吉他或打鼓？為什麼次子／女通常比較不能遵守規矩、課業成績較差、比長兄／姊「會社交」？簡單的說，小提琴象徵中國教養模式的成功。

對露露而言，小提琴的具體表現是壓抑。

我回頭緩步穿過紅場時，恍然明白小提琴對我也已經開始象徵著壓抑。光是想到露露的小提琴盒放在我們家大門後面（因為我們直到最後關頭才決定把琴留在家裡，這是有史以來頭一遭），就讓我想起我們日復一日、年復一年的辛苦、衝突與折磨。這到底所為何來？我也明白，我從心底害怕即將發生的事。

我突然意識到，這一定就是西方家長的想法，這就是他們輕易讓子女放棄學習困難樂器的原因——虐待自己和孩子，何

苦來哉？有什麼意義？如果孩子不喜歡或討厭做某件事，逼她做又有什麼好處？可是作為一個中國媽媽，我知道自己可能永遠都難以屈服於那種思考方式。

我回到古姆咖啡店找他們。服務生和其他的客人都把眼光避開。

「露露，」我說：「你贏了。這件事到此結束，我們不學小提琴了。」

象徵 32.

Battle Hymn of the Tiger Mother

虎 媽 的 戰 歌

♥我父親，攝於一九七○年代初

33. 向西方取經

這回不是唬人的。我一向對露露採取邊緣策略──也就是總把局面推到危險邊緣，可是這一次我是說真的。到現在為止我還是不太清楚自己為什麼會這麼做，也許是我終於服了露露那股堅定不屈的力量吧，儘管我非常不認同她的抉擇；也許是因為美文。看到她的奮戰精神，看到在那幾乎無望的幾個月中，什麼才是對她最重要的，改變了我們每個人的觀念。

也可能是我母親的關係。她在我眼中永遠是典型的中國媽媽，我從小到大沒有一件事讓她覺得滿意。（「你說你是第一名，結果卻只是和人並列第一，不是嗎？」）她以前常常一天

陪小妹美音練鋼琴三小時,直到老師客氣的告訴她,沒有人像她們這樣練的。即便在我成為教授之後,邀她去聽一些我的公開演講,聽完後她還是會不停提供一些雖然沒錯但頗刺耳的批評,而其他人卻都說我的演講很精采。(「你一興奮講話就太快。冷靜一點,你就會講得比較好。」)然而我自己的中國媽媽長期以來卻一直在警告我,我的方法對露露不管用。她說:「每個小孩都不一樣。」又令人不安的加了一句:「你必須調適你自己,美兒。看看你爸爸的例子就知道了。」

所以——說到我爸爸,我想,是該交代清楚的時候了。我一向告訴傑德、我自己,還有每一個人,中國教養模式高人一等的終極證明,就是子女最後對父母的感覺。儘管父母要求嚴苛、把兒女罵得狗血淋頭、不顧兒女的意願,但是中國子女最後都還是會敬重、孝順父母,在父母老了以後想要照顧他們。傑德一直問我:「美兒,那你爸爸呢?他的情形你怎麼說?」我從來沒有什麼令人滿意的答案可以給他。

我爸爸是他們家的異類。他母親不喜歡他,對他很不好。他們家的人常常拿兒女做比較,而吃虧的總是排行第四的父親。他不像其他家人那樣有興趣做生意;他喜歡的是科學和跑車。八歲那年就自己拼裝出一台收音機。爸爸和他的兄弟姊妹

比起來，是最特立獨行的一個，喜歡冒險、桀敖不馴。說得婉轉一點，他的母親並不尊重他的選擇，不重視他的個人主義，也不在乎他的自尊心——反正就是不尊重西方那一套。其結果就是爸爸討厭他的家人，覺得那個家令他窒息、妨礙他的發展，一有機會便逃得遠遠的，而且從來沒後悔過。

我爸爸的親身經歷所代表的意義，是我永遠不想去思考的。中國教養模式成功時，其成效無出其右者，然而這種教養模式未必一定會成功。就我自己的爸爸而言，他就沒有成功。他不太和我奶奶說話，而且除非生氣的時候，從來不會想到她。一直到奶奶臨終前，爸爸幾乎是當他的親人全已不在這世上。

我不能失去露露，沒有任何事情比她重要，所以我做了我想得出來最西方的事，就是讓**她**自己做選擇。我告訴她，如果她不想學小提琴就算了，她可以去做喜歡的事。當時她喜歡的是打網球。

起初露露以為這是個陷阱。我們母女倆多年來玩了不少「比膽量遊戲」，也精心策劃過很多心理戰，所以她理所當然的懷疑我。可是等露露明白我是真心誠意的之後，反應卻讓我跌破眼鏡。

「我還要學，」她說：「我喜歡小提琴，永遠不會放棄。」

「唉，少來了吧，」我搖頭說：「我們就別再兜圈子了。」

「我不想停止學習小提琴，」露露又說一次：「我只是不想花那麼多時間與精力在小提琴上罷了，因為這並不是我這輩子想做的事裡最主要的一個。學小提琴是你選的，不是我。」

可是不想多花時間在小提琴的連帶後果卻讓我非常難過。首先，露露決定離開管絃樂團，放棄樂團首席的位置，目的是為了空出週六早上打網球。這個決定分分秒秒都讓我痛苦不堪。她在檀格烏的演奏會上，以樂團首席身分演奏最後一曲，然後與指揮握手時，我眼淚差一點潰堤。第二，露露決定不再每個星期天去紐約上小提琴課，所以我們放棄了田中老師的課。這位朱莉亞音樂院名師的課一位難求，當初我們得來是多麼的不容易啊！

我在紐哈芬幫露露找了一個老師。經過我和露露一番長談之後，說好了以後露露自己練琴，不需我或其他指導老師陪練，而且一天只練三十分鐘。我知道這麼少的練習想要維持高水準的演奏是不可能的。

露露做這個決定之後的一、兩個星期，我在家裡晃來晃去，宛如一個沒有任務，失去生存理由的人。

　　前不久在一次午餐上，我認識了伊莉莎白‧亞歷山大，這位耶魯大學教授曾在歐巴馬總統就職典禮上朗誦自己創作的詩作。我告訴她我非常欣賞她的作品，隨後兩人交談了幾句。

　　後來她說：「等一下，我好像認識你。你是不是有兩個女兒以前在社區音樂教室上課？你不就是那位有兩個天才女兒的媽媽？」

　　原來伊莉莎白有兩個小孩，年紀比我兩個女兒小，他們同樣也在社區音樂教室上課，而且聽到過幾次蘇菲亞和露露的演奏。「你那兩個女兒**太棒了**。」她說：「她們激發了我小孩的學習興趣。」

　　若是以前，我會謙虛的說：「哎呀，她們其實沒那麼好。」然後拚命希望她多問一點，這樣我才好告訴她蘇菲亞和露露在音樂方面的最新成就。可是現在我只是搖搖頭。

　　「她們還在彈琴嗎？」伊莉莎白繼續說：「我後來就沒在音樂教室見到她們了。」

　　「我的大女兒還在彈鋼琴，」我回答：「小女兒本來拉小提琴，但是已經不像從前練那麼多。」我心如刀割。「她現在

比較喜歡打網球。」我心想，就算她現在在新英格蘭排名一萬
又如何，事實上排名還在一萬名之外。

「不會吧！」伊莉莎白說：「太可惜了。我記得她很有天
分的。」

「她自己決定的。」我聽到自己說：「因為練琴要花太多
時間，你也知道十三歲的小孩是怎麼想的。」我還真像一個西
方家長咧，我心想。真是失敗啊。

可是我說話算話，讓露露隨心所欲的打網球，按照自己的
步調做事，決定自己的事情。我還記得她第一次報名去參加美
國網球協會新手錦標賽，回到家時心情很好，顯然是腎上腺素
作祟。

「打得如何？」我問。

「喔，我輸了。第一次參加錦標賽，完全用錯了策略。」

「幾比幾？」

「六比〇，六比〇耶。」露露說：「不過跟我對打的那個
女孩實在很強。」

她若有那麼強，為什麼還打新手錦標賽？我心中這麼想，
可是卻大聲說：「比爾‧柯林頓最近告訴耶魯的學生說，只有
做自己熱愛的事才會成為高手。所以你愛打網球是很棒的。」

可是，我在心中對自己說，只是熱愛，並不表示會做得很棒，不努力就絕無成功的可能。大部分人做自己熱愛的事都做得爛透了。

Battle Hymn of the Tiger Mother

虎 媽 的 戰 歌

♥網球場上的露露

34.
尾聲

　　最近我們在家裡辦了一次正式的晚宴，客人是來自世界各地的法官。當耶魯大學法律系教授有一個讓人覺得自己很渺小的地方，就是會認識一些令人肅然起敬的人物，亦即一些當今世上最了不起的法學家。十年來，耶魯的全球立憲研討會曾經請來數十國最高法院的法官，包括美國的大法官。

　　為了款待嘉賓，我們邀請到蘇菲亞的鋼琴教授楊惟誼前來演奏。演出他即將在耶魯著名的「霍洛維茲」鋼琴系列演奏會的部分曲目。惟誼大方的建議讓他的年輕學生蘇菲亞同台演出。為了增添趣味性，師生兩人還聯手演奏德布西的四手聯彈

作品《小組曲》。

　　我對這個點子感到莫名的興奮和緊張，於是對蘇菲亞說：「別搞砸了。一切都要看你的了。那些大法官可不是到紐哈芬來聽高中生才藝表演的，如果你彈得不夠完美，就是侮辱了他們。現在趕快去練琴吧，別離開鋼琴一步。」我猜我的骨子裡還是殘留了一點中國媽媽的成分。

　　接下來幾星期就像重演以前去卡內基音樂廳演奏之前的日子，只不過現在蘇菲亞幾乎完全是獨自練琴。我和以前一樣會研究她要演奏的曲目——聖桑的《熱情的快板》和一首波蘭舞曲，還有蕭邦的「幻想」即興曲。可是事實上蘇菲亞已經不太需要我了。她完全知道自己該做什麼，我只會偶爾從廚房或樓上吼一句批評的話。同時，我和傑德把起居室所有的家具都移開，只留下鋼琴。我還自己動手刷地板，再去租五十張椅子來。

　　表演的那個晚上，蘇菲亞穿著一件紅色禮服進場鞠躬行禮時，我忽然一陣驚慌。她在彈聖桑的波蘭舞曲時，我幾乎動彈不得，儘管她表演得精采萬分，我也沒有好好欣賞。這首曲子完全是供演奏者娛樂聽眾之用的，只是我神經過度緊繃，所以完全沒有被娛樂到。蘇菲亞表現得輕鬆愉快、乾淨俐落嗎？

她有沒有因為練習過度，手沒力氣了？我必須強迫自己不要前後搖擺，不自主的跟著琴音哼；兩個女兒在表演有難度的曲子時，我通常就會這樣。

可是蘇菲亞演奏最後一支曲目，蕭邦的「幻想」即興曲時，忽然狀況有變。不知何故，我緊繃的心情一掃而空，緊閉的牙關鬆開了，這時我滿腦子想到的只是：這是她的曲子。她起立鞠躬，臉上露出燦爛的笑容，我心想，太好了——她是開心的；音樂讓她感到開心。那一刹那，我知道這一切都是值得的。

蘇菲亞得到了三次熱烈的鼓掌，表演結束後這些大法官（包括多位我崇拜多年的大法官）讚不絕口。其中一位說蘇菲亞的演奏太美妙了，他可以聽一整夜；另一位極力主張蘇菲亞必須當職業鋼琴家，因為浪費她的才華是一種罪惡。意外的是，很多大法官問我一些個人問題，因為他們同樣是為人父母，例如：「你有什麼祕訣？你覺得亞洲家庭文化是不是有什麼特質，所以常常可以培養出這麼多出色的音樂家？」或是「告訴我，蘇菲亞是因為很喜歡音樂而自己練琴，還是你必須逼她？我從來沒有辦法要我的孩子練琴超過十五分鐘。」還有「你另一個女兒呢？聽說她的小提琴拉得好極了。我們下次會

聽到她演奏嗎？」

我告訴他們，我正在努力針對那些問題寫一本書，出版之後會送他們一人一本。

大約就在蘇菲亞這次演奏前後，有一次我開了一小時車到康乃狄克州一座沒什麼人去的網球場接露露。

「媽咪，你猜怎樣──我贏了！」

「贏了什麼？」我問。

「錦標賽啊。」露露說。

「什麼意思？」

「決賽時我贏了三盤，打敗了第一種子，她在新英格蘭排名第六十。真不敢相信，我打敗她了！」

我嚇了一跳。我自己十幾歲時打過網球，但只是和家人或同學打著好玩而已，長大以後參加過幾次比賽，可是不久便受不了競爭的壓力。我和傑德讓蘇菲亞、露露去學打網球，主要是為了一家人一起活動，從來沒有對她們寄予厚望。

「你還在打新手級嗎？」我問露露：「最低階的？」

「是啊。」她和顏悅色的回答。自從我讓她自己做主之後，我們就相處得融洽多了。我那痛苦的「失」似乎是她的

「得」，而且她變得比較有耐性、比較輕鬆幽默。「可是我不久後就會設法升到下一級。我相信我會輸，不過我要試試看，只是好玩而已。」

然後，她突如其來的說：「我好想念管絃樂團。」

接下來六星期，露露又贏了三場比賽。我去看了後兩場，被她在球場上有如火球般的威力迷住了：她的揮拍何其兇猛，神情看來多麼專注，而且無論如何絕不放棄。

露露贏了球，但是比賽愈來愈棘手。其中一場比賽，她敗在一個塊頭有她兩倍大的女孩手下。露露離開球場時，滿臉笑容十分有風度，可是她一上車就對我說：「下次我要打敗她。我現在還不夠強——不過很快就會強起來。」然後她問我能不能幫她報名多上一點網球課。

下一次上課時，我看著露露練習反手拍，在她身上看到前所未有的專注與不屈不撓的精神。下課後，她問我能不能多餵她一些球，繼續練習，於是我們又練了一小時。在回家的路上，我告訴她，她的反手拍看起來進步很多，可是她說：「才沒有呢，我現在還是打得不對，還很糟。我們明天能找個球場嗎？」

她的動力有這麼強，我心想，這麼樣的……熱切。

　　於是我跑去找露露的網球教練談。「露露沒有成為高手的可能吧？我是說，她已經十三歲，起步晚了十年。」我聽說過網球學校的威力，四歲小孩就有個人教練。「再說，她的個子矮，像我一樣。」

　　「重要的是露露喜歡網球。」教練說，非常一美國式。「而且她的努力讓人難以想像，我從來沒有見過進步這麼快的人。她是個很好的孩子，你們夫妻倆把她教得很好。沒做到百分之一百一十她是不會滿意的，而且非常樂觀，又有禮貌。」

　　「你過獎了。」我說，可是卻不由自主的興奮起來。這有可能是中國的良性循環發揮了作用嗎？我是不是只是幫露露選錯了活動？網球是非常可敬的運動，和打保齡球不一樣。張德培就是打網球的。

　　我開始加快腳步去了解美國網球協會的規則、流程，以及全美的排名體系，也去查教練，並到處打電話找這一帶最好的網球教學課程。

　　露露有一天聽到我在詢問這些，便質問我：「你在幹什麼？」我解釋我只是在做一點研究，她立刻大發雷霆。「不要，媽咪——**不要**！」她兇巴巴的說：「不要破壞我打網球的興致，就像你破壞我學小提琴的興趣那樣。」

這話很傷人，於是我退讓一步。

第二天，我再試一次。「露露，麻州有一個地方──」

「別，媽咪──拜託你別這樣。」露露說：「我可以自己來，不需要你參與。」

「露露，我們需要做的是調整你的力量──」

「媽咪，這我懂。我看過也聽過你演講少說也有一百萬遍了，可是我不想要你控制我的生活。」

我定定的看著她。人人都說她長得像我，我很喜歡聽到這樣的話，可是她卻強烈的反駁。她三歲時站在門外，頂著寒風反抗的模樣浮現在我的腦海。她是寧死不屈的，我心想，向來如此。不論她以後做什麼，都會做得很棒。

「好吧，露露，這我可以接受。」我說：「看到沒有？我是不設防的，而且很有彈性。想要在這個世界出人頭地，就永遠必須樂意去適應環境。這是我最擅長的，你應該跟我多學學。」

可是其實我並沒有真的放棄。我還是在戰鬥，只不過是在策略上做了大幅修正。我變得可以接受新的觀點，也變豁達了。有一天露露對我說，她練小提琴的時間會更少，因為她想培養其他的興趣，像是寫作和「即興表演」。我沒有覺得呼吸

要停止了，反而支持她並且採取主動。我現在是往長遠看。露露很擅長模仿，我們每次看了都捧腹大笑。雖然即興表演似乎很不中國，和古典音樂也背道而馳，但這絕對是一種技能。我心中也期望露露對音樂的喜好不會消逝，而且有朝一日能主動回到小提琴上——說不定那天很快就會到來。

在此同時，我每個週末開車送露露去比賽，看她打球。她最近參加了高中校隊，是隊上唯一的低年級生（按：七至八年級）。因為露露堅持不要我的建議和批評，所以我只好採取間諜戰和游擊戰，偷偷灌輸一些觀念在教練的腦袋裡，發簡訊問她問題並傳送練球策略，然後刪除這些簡訊，不讓露露看到。有時候，我會出乎露露意料，在早餐或道晚安的時候，忽然冒出一句「在截擊時讓球多旋轉一點！」或是「上旋發球時右腳不要動！」這時露露就會掩住耳朵，然後我們又會吵起來，可是我已經把要說的話說出來了，而且知道她明白我說得沒錯。

♥我們全家，2010年

老虎熱情而衝動，看不見危險。

可是他們會汲取經驗，從中獲得

新的能量和莫大的威力。

尾奏

　　我從二〇〇九年六月二十九日，也就是我們一家從俄羅斯回來的那天，開始寫這本書。我不知道自己為什麼要寫，也不知道這本書會如何收尾，而且通常我會有寫作障礙，可是這次卻文思泉湧，前面三分之二只用了八個星期便寫完（不過剩下的三分之一就痛苦了）。我每一頁都拿給傑德和兩個女兒看。「這是我們一起寫的。」我對蘇菲亞和露露說。

　　「才不是呢，」兩姊妹異口同聲說：「這是你的書，媽咪，不是我們的。」

　　「我覺得裡面說的都是你的事。」露露又說。

　　可是慢慢的，她們讀得愈多，提供的意見也就愈多。事實上，寫這本書發揮了治療作用——不過兩個女兒提醒我，這可是西方的觀念哩。

　　事隔多年，很多事情我已淡忘，不論是好事或壞事，但是女兒和傑德幫我回想起這些往事。為了拼湊出這些事情的全貌，我翻出以前的電子郵件、電腦檔案、音樂會節目單、相本，而且常常和傑德一頭栽進往事。感覺好像蘇菲亞昨天還是個小娃娃，而今再一年就要申請大學了。蘇菲亞和露露也被自己以前那麼可愛給打敗了。

　　請別誤會我的意思，寫這本書殊為不易。事實上我們家沒有一件事做起來是輕鬆的。我必須打很多次草稿，因為得順應兩個女兒的抗議而一改再改，最後我刪除一大部分和傑德有關的內容，因為那足以另寫一本書了，而且他才是書中主角。有些部分我還得寫二十幾次才讓蘇菲亞和露露都滿意。有幾次兩人中的一個會在讀稿時，讀著讀著忽然就眼淚潰堤，一發不可收拾。再不然就是敷衍我：「很棒，媽，很好笑，只是我不知道你寫的是誰。你寫的那個絕對不是**我們**家的人。」

　　「哎呀，天哪！」露露有一次大叫：「你是拿我來比普希金那個笨蛋嗎？蘇菲亞是聰明的可可，什麼都學得會？」我指

出可可並不聰明，而且一樣什麼也學不會。我向她們保證，絕對沒有拿狗來比喻她們。

「那寫她們做什麼呢？」蘇菲亞問得合理：「書裡為什麼會有她們？」

「我還不知道。」我承認說：「可是我知道她們很重要。中國媽媽養狗本來就沒有什麼一定的目的。」

另一次露露抱怨：「我覺得你為了讓書好看，誇大了我和蘇菲亞之間的不同。你把我寫得好像典型的美國叛逆少女，可是我根本還差得遠哩。」而蘇菲亞卻說：「我覺得你對露露太輕描淡寫了，你把她寫得像個天使。」

想當然，兩個女兒都覺得這本書沒把她們寫得夠好，挺委屈的。「你絕對應該把這本書獻給露露，」蘇菲亞有一次很有雅量的說：「因為她顯然才是英雄，有氣魄，又那麼神氣活現。我是那個無聊到會被讀者噓的。」而露露說的卻是：「說不定你該把這本書的書名定為《完美小孩和食肉魔鬼》，或是《為什麼長子長女比較優秀》。這本書講的不就是這個嗎？」

那個夏天兩個女兒不停的煩我：「媽咪，這本書要怎麼結尾？會有個圓滿的結局嗎？」

我都是回以諸如此類的話：「那就看要你們兩位囉，不過

我猜會以悲劇收場。」

轉眼幾個月過去，我依然想不出如何結束這本書才好。有一次我靈光乍現，跑向兩個女兒。「我想到了！這本書就要結束了。」

她們十分興奮。「要怎麼結束？」蘇菲亞問：「你要說的論點是什麼？」

「我決定要採取混合的方式，」我說：「擷取中西雙方之菁華。在孩子十八歲以前採取中國的方式，培養自信心和追求卓越的價值觀，之後改採西方的方式。每一個人都必須找到自己的路。」我大膽的說。

「等一下——十八歲以前？」蘇菲亞問：「那才不叫混合式，那是整個童年都只用中國式教養。」

「蘇菲亞，我覺得你講得太技術面了。」

不管怎麼說，我還是回到我的桌子繼續寫結尾，可是徒勞無功，只寫出些廢話。後來有一天——其實就是昨天，我問女兒到底**她們**覺得這本書該如何收尾。

「嗯，」蘇菲亞說：「你這本書要說的是實話，還是只想說一個好看的故事？」

「實話。」我回答。

「那就難了，因為事實一直在改變。」蘇菲亞說。

「才沒有，沒有變，」我說：「我記得清楚的很。」

「那你為什麼一直在修改結尾？」蘇菲亞問。

「因為她不知道她要說的是什麼。」露露說。

「你說的不可能全部都是事實。」蘇菲亞說：「你已經漏掉太多事實了，不過這表示沒有人真的知道事實是什麼。舉例來說，每一個人都會以為我是**被迫接受**中國式教養的，然而事實並非如此，因為我是認同這種方式的，那是我自己的選擇。」

「你小的時候並不是自己選擇這種教養方式的，」露露說：「我們小的時候，媽咪從來沒有讓我們有選擇的餘地，除了：『你要練琴六小時還是五小時？』以外。」

「選擇……嗯，我在想，這一切是不是就歸結於此？」我說：「西方人非常重視選擇的權利，中國人卻不。我以前笑婆婆讓爸爸自己選擇要不要學小提琴，他當然會選擇不學。可是現在，露露，我不知道如果我以前沒有強迫你去考茱莉亞音樂院，或是每天練琴時間沒有那麼久的話，現在會怎麼樣。誰知道呢？說不定你現在還會喜歡小提琴。或者，如果當初我讓你自己選擇要學的樂器，會怎麼樣呢？不學任何樂器又如何？再

怎麼說，你爸爸現在也很好啊。」

「別鬧了，」露露說：「我當然很高興你以前逼我學小提琴。」

「哦，**是喔**，傑克醫師！海德先生跑到哪兒去了？」（按：英國經典小說《變身怪醫》中，傑克醫師代表善的人格，海德先生代表惡的人格。）

「不要這樣啦！我是說真的。」露露說。「我一直都很喜歡小提琴，甚至很高興你逼我練習那些大師的曲子。還有，每天學兩小時的中文。」

「真心話？」我問。

「是啊！」露露點點頭。

「這就對了！」我說：「因為現在回想起來，我覺得我們做的那些選擇是很棒的，雖然大家都擔心你和蘇菲亞的心理可能受到永久的傷害。不過我愈想愈生氣，西方父母對於什麼事對兒女有益、什麼事有害，看法雖然一致，但是我不知道他們到底有沒有做過什麼選擇。他們做的事只是和其他人一樣，什麼也不問，這就是西方人最拿手的。他們只是一直重複這類的話：『你必須讓子女自由追求他們真正熱愛的事』，而這個『熱愛』顯然就只是掛在『臉書』上十小時，那根本是浪費時

間，然後還吃一堆可怕的垃圾食物——我告訴你，這個國家根本是在**開倒車**！難怪西方父母老了以後會被丟在安養院裡！你們兩個以後最好別把我放到安養院去，我也不想在我還沒有斷氣時呼吸管就被拔掉。」

「別那麼激動，媽咪。」露露說。

「當孩子有什麼事情做不好時，西方父母不是叫孩子努力一點，他們做的第一件事就是採取法律途徑！」

「你到底是在說誰？」蘇菲亞問：「我就不認識有哪一個西方家長去告別人的。」

「我才不要屈從於西方社會那套顯然很蠢的標準，管他是不是政治正確。而且那套標準也沒有歷史依據。參加朋友聚會的起源是什麼？你覺得那些開國先賢會常常到別人家過夜嗎？其實我倒覺得美國的開國先賢具有中國的價值觀。」

「媽咪，我不是想打斷你，不過——」

「富蘭克林（Ben Franklin）說：『如果你愛惜生命，就**絕對不要**浪費時間。』傑弗遜（Thomas Jefferson）說：『我非常相信運氣；我愈努力，運氣就愈好。』漢彌頓（Alexander Hamilton）說：『不要做一個愛抱怨的人。』這完全是中國人的思考方式。」

「媽咪，如果美國的開國先賢是這麼想的話，那這就是美國式的思考方式，」蘇菲亞說：「而且，我覺得你引用錯誤。」

「不信你就去查查看。」我對她下了戰帖。

我妹妹美文的身體現在好一點了。她的日子絕對過得很辛苦，而且還沒有脫離險境，可是她是個英雄，用感恩的心承受這一切。她仍然日以繼夜的做研究，寫一篇又一篇的論文，還有盡量陪孩子。

我常常在想，她生這場病的意義是什麼。生命苦短，又那麼脆弱，每一個人當然都應該盡量善用活著的每一刻——每一個飛逝而過的時刻。然而把生命活到極致又意味著什麼呢？

每一個人遲早都會死，然而是用什麼方式離開呢？不論如何，我已經跟傑德說好了，我還要再養一隻狗。

謝辭

要感謝的人很多：

我的爸爸媽媽——沒有人比他們更信任我了，我非常尊敬和感謝他們兩位。

蘇菲亞和露薏莎，她們是我最大的快樂泉源，我這一生的驕傲和欣慰也都是她們給的。

三位了不起的妹妹，美夏（Michelle）、美文（Katrin）、美音（Cindy）。

最感謝我的丈夫，傑德·魯本菲（Jed Rubenfeld），二十五年來，我寫得每一個字他都讀過。他這個人富有愛心又非常聰明，而我蒙受其利，實在是天大的福氣。

我的妹夫歐爾·戈薩尼（Or Gozani），和我的外甥女及外甥Amalia、Dimitri、Diana、Jake、Ella。

還有這些親愛的朋友，感謝他們很有見地的評論、熱心的辯論，以及寶貴的支持：Alexis Contant、Jordan Smoller、

Sylvia and Walter Austerer、Susan and Paul Fiedler、Marina Santilli、Anne Dailey、Jennifer Brown（感謝你的「放低身段」！）、Nancy Greenberg，Anne Tofflemire、Sarah Bilston、Daniel Markovits、Kathleen Brown-Dorato、Alex Dorato。同樣要感謝Elizabeth Alexander、Barbara Rosen、Roger Spottiswoode、Emily Bazelon、Linda Burt、Anne Witt，感謝他們慷慨的鼓勵。

所有幫忙灌輸給蘇菲亞與露露對音樂之愛的人，包括社區音樂教室的Michelle Zingale、Carl Shugart、Fiona Murray、Jody Rowitsch、Alexis Zingale；諾華克青年交響樂團了不起的Richard Brooks；Annette Chang Barger、Ying Ying Ho、Yu-ting Huang、Nancy Jin、南琦媛、Alexandra Newman；不可多得的田中生子、Almita Vamos；尤其是我的好朋友，無與倫比的楊惟誼。

蘇菲亞和露露在傅特學校（Foote School）有幸受教的那些好老師，特別是Judy Cuthbertson以及Cliff Sahlin。（順帶一提，我其實很喜歡「中世紀節」。）

在網球方面：Alex Dorato、Christian Appleman、Stacia Fonseca。

我的學生Jacqueline Esai、Ronan Farrow、Sue Guan、Stephanie Lee、Jim Ligtenberg、Justin Lo、Peter McElligott、Luke Norris、Amelia Rawls、Nabiha Syed、Elina Tetelbaum。

最後，要感謝孫子諫與趙芳，並衷心感謝了不起的Tina Bennett，她是最棒的經紀人，還有感謝我的編輯和出版者，傑出、無人能及的Ann Godoff。

附錄一
我的生命活出110%

蘇菲亞

親愛的虎媽：

你的回憶錄《虎媽的戰歌》出版後，讓你飽受抨擊。問題之一在於有的人不懂得你的幽默，他們以為你對所有的事情都那麼嚴肅，以為我和露露被邪惡的媽媽壓迫得好慘。其實根本不是這樣。每隔一週的星期四，你都會讓我們「鬆綁」，到地下室玩數學遊戲。

不過說真的，這也不能怪他們，因為外人畢竟無從得知我們是個什麼樣的家庭。他們看不到我們被彼此說的笑話逗得捧腹大笑，看不到我們吃漢堡配炒飯，也不知道我們六個（包括兩隻狗在內）擠在一張床上，為了要從Netflix下載什麼電影而爭執不下時有多好玩。

286

我承認，有你這樣的媽媽絕對不輕鬆，我曾經有幾次很希望能去參加朋友聚會，也曾經有幾次很希望不要參加鋼琴營。可是現在我十八歲了，轉眼就要離開這個「老虎柙」，我必須說，我很慶幸你和爸爸用這樣的方式教養我長大。原因如下。

　　很多人指責你，說你是在製造沒有思考能力的機器人小孩。唔，這麼說還真奇怪了，因為我覺得那些人……算了，這不重要。不論如何，我思考過這個問題後得到了一個完全相反的答案，那就是：你這種嚴格的教養方式逼我變得比較獨立。早幾年的時候，我原本想要做個聽話的小孩。或許我的想法是得自於爸爸吧，他教我不用在乎別人的想法，自己做抉擇，我自己也決定要做我想做的人。我不叛逆，我也沒有吃過什麼「虎媽」的苦頭。我這陣子大都在做自己想做的事，例如在市中心建造溫室，和露露在車子裡大放傻瓜龐克（Daft Punk）的歌，逼男朋友和我一遍又一遍的看電影《魔戒》──只要我先練完鋼琴。

　　人人都在談論我們那次做給你的生日卡，那兩張因為不夠好而被你退貨的卡片。好笑的是怎麼會有人認為我們會留下一

287

輩子的心理創傷。當時若是我有用心做卡片的話，也許就會覺得很傷心。可是坦白說，那張卡片的確是做得草率，一看就知道了。那張卡片只花了我三十秒鐘，我連鉛筆都沒有削哩。所以你拒收卡片時，我並不覺得你是在否定我。我若是真的用了心思，你絕對不會當著我的面丟回來的。

我記得有一次鋼琴比賽時，上台前我好緊張，這時你輕聲對我說：「蘇蘇，你已經盡了最大的努力，所以現在不論表現如何都沒有關係了。」

每一個人好像都認為藝術是天然生成的，然而虎媽，你教導我即便是創造力也是要下功夫的。我猜我在小學時跟一般的小孩是不太一樣，但又有誰能說這樣不好呢？也許是我運氣好，有一些好朋友，他們常常在我的背包上留紙條：「明天比賽祝你好運！你一定會很表演得很精采！」他們常來聽我的鋼琴演奏會（主要是為了你在演奏會結束後供應的水餃），而那次在卡內基音樂廳演出，我聽到他們大聲的喝采時，不禁感動流淚。

我上高中後，你明白該讓我有點像個大女孩了。所有九年級的女孩子都畫妝，所以我去CVS買了一些化妝品，自己學著化妝，這是很普通的事。我畫了眼線下樓吃晚餐時，你看到嚇了一跳，可是卻不以為意，就這麼讓我度過那個代表成長的儀式。

另一個我不斷聽到的抨擊是，你的教育方式窄化了我們的視野，殊不知你和爸爸總是教我要為求知而求知。高一時，我選修了一門軍事史（對，你讓我在數學和物理之外選修很多的課程）。我們有一個作業是去訪問經歷過戰爭的人。我知道我只要訪問外公外婆就可以拿高分，因為他們小時候經歷二次世界大戰的故事我耳熟能詳。我跟你說這件事時，你卻說：「蘇菲亞，這是一個學習新知識的機會，你這麼做是在挑軟柿子捏。」你說得沒錯，虎媽。最後，我訪問了一位令人驚嘆的以色列傘兵，他的故事改變了我對生命的看法，而有這個經驗都要歸功於你。

還有一件事要說，就是我認為活得有意義是世人皆有的願望。對某些人來說，這表示要努力達成一個目標；對某些人來說，這就是要好好過每一天的每一分鐘。然而，「過好在世上

289

的每一天」真正的意義是什麼？也許努力贏得諾貝爾獎和從事特技跳傘是同一回事。對我而言，這個意義則不在於成就或是自我滿足，而是知道你在身心兩方面都鞭策自己發揮了最大潛能。你在跑步衝刺時會有這個感覺；練習很久的鋼琴曲目在手指之下有了生命時，也會有這個感覺；想到一個會改變你一生的想法時、做了一件從不認為自己做得到的事情時，也都會有這個感覺。若是我明天就死去，我相信我會覺得自己的生命活出了110％。

　　為了這一點，虎媽，謝謝你。

　　　　　（取材自《紐約郵報》，Mandy Stadtmiller採訪報導）

虎媽與我

露露

問：你會怎麼形容你媽媽？

答：她是亞洲人、身材嬌小、很勇敢、工作很努力、受人歡迎。

問：你會怎麼形容自己呢？

答：外向、固執、對人忠心、意志堅強。

問：你覺得在你人生的哪一個階段跟媽媽最難相處？

答：我六、七年級時，有一段時間我們兩個簡直天天吵架。

問：你覺得媽媽現在比以前了解你，而且比較會聽你的想法嗎？在哪些方面？

答：她向來都是最了解我的人，而且她現在絕對會聽我的想法了，不過這並不表示我說的事她都認同。

問：你最想改變童年的哪一個部分？

答：我生氣時，有時候會說出一些很讓爸媽傷心的話，但我是無心的。如果可以改變的話，我希望我當時沒說出那些話，也沒有不經思考就做出那些衝動的事。我也希望自己更早就開始參加網球比賽。:)

問：你會如何描述和姊姊蘇菲亞之間的關係？

答：我們兩個的個性南轅北轍，所以我常常會很不理性的生她的氣。可是她明年上大學之後，我會很想她的！

問：你和爸爸處得如何？

答：我和爸爸處得非常好。我們兩人都有幽默感，而且對某些活動有共同興趣（其中大部分對我媽來說都是浪費時間）。

問：你覺得爸爸和媽媽在哪些方面不同？

答：媽媽容易原諒別人，爸爸則會耿耿於懷，一旦生起氣來要比較久的時間氣才會消。可是爸爸比媽媽更善解人意，我有問題或是需要建議時，幾乎都是去找爸爸。爸爸和媽媽

的是非觀念都非常強。

問：你最感謝媽媽哪一點？
答：我最感謝媽媽灌輸我對知識的熱愛，她也讓我知道努力工作的重要。

問：你以後會想怎麼教養你的孩子，會想要灌輸他們什麼價值觀？
答：現在說這個太早了吧，不過我絕對會是個嚴格的媽媽。我會盡我所能的教小孩要做個好人，而且永遠要盡全力做到最好。

問：你還要再過幾年才上大學，不過現在對上大學等等有沒有什麼計畫？你這輩子最想做的是什麼？
答：我喜歡做的事情太多了，所以不太可能知道我這輩子最想做的是什麼。至於大學嘛，我希望別那麼早就傷這個腦筋。

問：你覺得這本書如何？對於種種事情的描述，媽媽似乎給你

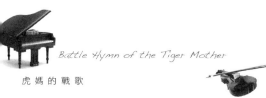

虎媽的戰歌

和姊姊很大的發言權。這個經驗是不是對你很有幫助？

答：我很喜歡這本書。有人問我，這本書是不是講我的生活。
我的回答是：這本書是我們生活某一個面向的寫照。至於
這本書將來到底會對我們有什麼影響，以及對我們整體有
什麼影響，那就要等到時候再看囉！

國家圖書館出版品預行編目資料

虎媽的戰歌／蔡美兒（Amy Chua）著；錢基蓮譯.
　-- 第一版. -- 臺北市：天下遠見, 2011.03

面；　公分. --（親子生活；025）

譯自：Battle Hymn of the Tiger Mother

ISBN　978-986-216-151-7（平裝）

1. 親職教育　　2. 母親　　3. 親子關係

528.2　　　　　　　　　　　　　　　　　　100003925

閱讀天下文化，傳播進步觀念。

- **書店通路** ── 歡迎至各大書店 · 網路書店選購天下文化叢書。

- **團體訂購** ── 企業機關、學校團體訂購書籍，另享優惠或特製版本服務。
  請洽讀者服務專線 02-2662-0012 或 02-2517-3688 * 904 由專人為您服務。

- **讀家官網** ── 天下文化書坊
  天下文化書坊網站，提供最新出版書籍介紹、作者訪談、講堂活動、書摘簡報及精彩影音
  剪輯等，最即時、最完整的書籍資訊服務。

  www.bookzone.com.tw

- **閱讀社群** ── 天下遠見讀書俱樂部
  全國首創最大 VIP 閱讀社群，由主編為您精選推薦書籍，可參加新書導讀及多元演講活
  動，並提供優先選領書籍特殊版或作者簽名版服務。

  RS.bookzone.com.tw

- **專屬書店** ──「93巷 · 人文空間」
  文人匯聚的新地標，在商業大樓林立中，獨樹一格空間，提供閱讀、餐飲、課程講座、
  場地出租等服務。
  地址：台北市松江路93巷2號1樓　　電話：02-2509-5085

  CAFE.bookzone.com.tw

虎媽的戰歌

作　　者／蔡美兒
譯　　者／錢基蓮
譯稿審訂／趙芳
總　　監／余宜芳
主　　編／李宜芬
責任編輯／鄭惟和（特約）、畢馨云、李宜芬
內文照片／p15 © Susan Bradley Photography；p41 ©Bachrach Photography；p205,
267, 275 ©Peter Z. Mahakian；其餘照片由 Amy Chua 提供
封面暨內頁設計／劉亭麟

出版者／天下遠見出版股份有限公司
創辦人／高希均、王力行
遠見・天下文化・事業群 董事長／高希均
事業群發行人／CEO／王力行
出版事業部總編輯／王力行
版權部經理／張紫蘭
法律顧問／理律法律事務所陳長文律師　著作權顧問／魏啟翔律師
社　　址／台北市104松江路93巷1號2樓
讀者服務專線／（02）2662-0012 傳真／（02）2662-0007 2662-0009
電子信箱／cwpc@cwgv.com.tw
直接郵撥帳號／1326703-6號 天下遠見出版股份有限公司

電腦排版・製版廠／立全電腦印前排版有限公司
印刷廠／盈昌印刷有限公司
裝訂廠／台興裝訂股份有限公司
登記證／局版台業字第2517號
總經銷／大和書報圖書股份有限公司　電話／(02)8990-2588
出版日期／2011年3月31日第一版第1次印行

原著書名／Battle Hymn of the Tiger Mother by Amy Chua
Copyright ©2011 by Amy Chua
Complex Chinese Edition Copyright © 2011 by Commonwealth Publishing Co., Ltd., a
member of Commonwealth Publishing Group
All rights reserved including the rights of reproduction in whole or in part in any form.

定價／320元
ISBN 978-986-216-151-7
書號：GF025

 天下文化書坊　http://www.bookzone.com.tw

Believing in Reading

相信閱讀